Renate Ahrens

Hello Marie – alles okay?

Eine deutsch-englische Freundschaftsgeschichte

Mit Illustrationen
von Jan Lieffering

Rowohlt Taschenbuch Verlag

2. Auflage März 2009

Originalausgabe
Veröffentlicht im Rowohlt Taschenbuch Verlag,
Reinbek bei Hamburg, August 2007
Copyright © 2007 by Rowohlt Verlag GmbH,
Reinbek bei Hamburg
Lektorat Christiane Steen
Umschlag- und Innenillustrationen Jan Lieffering
Umschlaggestaltung any.way, Andreas Pufal
rotfuchs-Comic Jan P. Schniebel
Satz Dante MT PostScript (InDesign)
bei KCS GmbH, Buchholz bei Hamburg
Druck und Bindung Druckerei C. H. Beck, Nördlingen
Printed in Germany
ISBN 978 3 499 21410 3

And What's Your Name?

In der Klasse war es ganz still geworden. Marie schaute auf das Mädchen, das neben Herrn Kruse stand. Es hatte lange schwarze Haare, leuchtend blaue Augen und eine helle Haut, die aussah wie Porzellan.

«Guten Morgen!», rief Herr Kruse. «Ich möchte euch eure neue Mitschülerin vorstellen. Sie heißt Claire, kommt aus Irland und spricht Englisch.»

«Hi», sagte Claire leise.

«Kann die nur Englisch?», fragte Alex und biss in sein Wurstbrötchen.

Herr Kruse holte tief Luft. «Alex, pack bitte dein Brötchen wieder ein. Wir haben jetzt Unterricht und keine Pause.»

«Ich hab Hunger», antwortete Alex frech.

«Hast du heute Morgen nicht gefrühstückt?»

«Doch, aber ich soll viel essen, weil ich noch wachse.»

Alex fing an zu lachen, sein gackerndes Lachen, das Marie immer so schrecklich fand. Keiner lachte mit.

Marie sah Claires erschrockenen Blick. Ihre helle Haut wirkte plötzlich noch heller. Was sie jetzt wohl von ihnen dachte?

«Warum musst du dich Claire gegenüber gleich von deiner schlechten Seite zeigen?», fragte Herr Kruse.

«Ist mir doch egal!», rief Alex und lachte weiter.

«Halt die Klappe! Du nervst!», platzte es da aus Marie heraus.

Alex starrte sie an, als sei sie verrückt geworden. Aber wenigstens lachte er nicht mehr.

«Claire, dort ist noch ein Platz frei», sagte Herr Kruse und zeigte auf den leeren Stuhl neben Marie.

Maries Herz machte einen kleinen Sprung. Sie hatte gehofft, dass Claire neben ihr und nicht in der letzten Reihe sitzen würde, wo auch noch ein Platz frei war.

Claire nickte erleichtert und griff nach ihrem Ranzen. Während sie sich hinsetzte, schlug Herr Kruse vor, dass sie Claire begrüßen und alle ihre Namen sagen sollten, damit Claire sie kennenlernen konnte.

«Hallo, Claire, ich heiße Nina!», rief Nina, die im-

mer etwas zu laut sprach, als ob sie Angst hätte, man würde sie nicht hören, weil sie so klein war.

«Hallo, ich heiße Sarah», rief ihre Freundin Sarah.

«Hi, my name is Max», sagte Max, der immer so viel verreiste und sogar schon mal in Amerika war.

«Very good», sagte Herr Kruse und zeigte auf Erkan, der einen winzigen Fußball vor sich auf dem Pult hin- und herrollen ließ.

«Hallo. Ich heiße Erkan und will Fußballspieler werden.»

«Claire, hast du das verstanden?», fragte Herr Kruse.

Sie nickte.

«Und jetzt Erkans Nachbar bitte.»

«... Ich heiße ... Ragip ... Hallo ...»

Ragips Stimme war so leise, dass er seinen Namen nochmal wiederholen musste. Dabei wurde er rot im Gesicht.

Marie sah, dass Alex gerade wieder in sein Brötchen beißen wollte, doch Herr Kruse hatte es auch gesehen und nahm es ihm weg.

«He, das ist meins!», rief Alex.

«Du bekommst es in der Pause zurück.»

«Das ist gemein!»

«Sag Claire bitte deinen Namen.»

«Alex. Das weiß doch hier jeder.»

«Willst du Claire nicht begrüßen?»

«Nee.»

Herr Kruse seufzte und rollte mit den Augen, wie immer, wenn er nicht weiterwusste.

«And what's your name?», fragte Claire und drehte sich zu Marie herum.

«Ich heiße Marie», antwortete Marie und lächelte. «Hallo, Claire!»

«Ich möchte euch um etwas bitten», sagte Herr Kruse und sah sie alle aufmerksam an. «Helft Claire, sich hier bei uns einzuleben. Sie hat es nicht leicht, weil sie gerade erst nach Hamburg gekommen ist und noch kein Deutsch kann. Aber ich bin sicher, dass sie es schnell lernen wird. Und ihr könnt etwas Englisch von ihr lernen.»

«Ich kann schon Englisch», rief Max. «Am Wochenende waren wir in London. Da hab ich auch wieder Englisch geredet.»

«Angeber», sagte Nina.

«Ich will gar kein Englisch lernen», murmelte Alex.

«Aber ich!», rief Marie.

«Ich auch! Ich auch!», stimmten die anderen mit ein.

«Dann ist es ja gut», sagte Herr Kruse und bat sie, gleich mal reihum auf Englisch zu zählen.

In der Pause ging Marie mit Claire zusammen auf den Schulhof. Der Himmel war grau, und es wehte ein eiskalter Wind. Vielleicht würde es bald wieder schneien.

Sie wollte so viele Fragen stellen, aber sie kannte die englischen Wörter nicht.

«How old are you?», fragte Claire in diesem Moment.

Was hieß das? Marie zuckte mit den Achseln.

Claire zeigte auf sich und zählte an den Fingern bis neun. «I'm nine years old.»

«Ah, jetzt hab ich's kapiert. Ich bin auch neun.»

Als sie sah, wie Claire die Stirn runzelte, nahm sie ebenfalls ihre Finger zu Hilfe.

Claire strahlte. «Hey, we're both nine!»

Marie nickte.

«Do you have any brothers or sisters?»

«Sisters» hieß Schwestern, das wusste Marie. Und «brothers» hieß wahrscheinlich Brüder. Sie zählte wieder ab. «Drei Schwestern.»

«You've got three sisters?»

«Ja.»

«You're so lucky. I'm an only child.»

«Das hab ich nicht verstanden.»

«I've no sister and no brother.»

Ah, Claire hatte keine Geschwister. Und sie hätte bestimmt gern welche, denn sie sah auf einmal ganz traurig aus.

«How old are your sisters?», wollte Claire da wissen.

«Julchen ist ein Jahr alt, und Isabelle und Nele sind fünf.»

«Oh, they're twins!»

«Twins»? Das musste Zwillinge heißen.

In dem Augenblick klingelte es zur Stunde, und sie hatte vor Aufregung noch gar nicht ihr Brot gegessen.

«Do you like cycling?», fragte Claire, als sie in die Klasse zurückgingen.

«Was ist das?»

«I'll show you.»

Claire lief zu ihrem Platz und zog ein Blatt Papier aus ihrem Ranzen. Dann fing sie an zu malen.

«Was malst du da?», fragte Nina.

«Sieht aus wie ein Fahrrad», meinte Sarah.

«Ah, jetzt weiß ich, was sie mich gefragt hat!», rief Marie. «Ob ich Rad fahren kann.»

Claire blickte hoch. «... Rad fahren ...»

«Was heißt das auf Englisch?», fragte Max.

Erkan grinste. «Ich denke, du kannst Englisch.»

«Alles weiß ich auch nicht.»

«Cycling», antwortete Claire. «I love cycling.»

«Ich auch», rief Marie.

«Oh, nee!», stöhnte Alex und warf einen Blick auf die Zeichnung. «Was ist das überhaupt für 'n krummes Rad? Können die in Irland nicht malen?»

«Nun hör mal auf», sagte Ragip leise.

Alle drehten sich zu ihm um, weil Ragip sonst nie etwas sagte.

«What did he say?», fragte Claire.

«Dass Alex aufhören soll, so zu reden», antwortete Marie.

Sie sah sofort, dass Claire sie nicht verstanden hatte. Was hieß denn bloß aufhören?

«He said that ... Alex should stop talking!», sagte Max stolz.

«Thanks ...»

Es muss so hart sein, wenn man nicht verstehen kann, was die anderen sagen, dachte Marie. Trotzdem hatte Claire bestimmt begriffen, dass Alex sich über ihr Bild lustig gemacht hatte. Auch wenn das keiner von ihnen für sie übersetzen konnte.

«Ich sehe, ihr übt schon fleißig Englisch», sagte da Herr Kruse, der gerade den Klassenraum betreten hatte. «Wie schön!»

Als alle wieder auf ihren Plätzen saßen, fing er an, das Kakaogeld einzusammeln, das sie für heute mitbringen sollten. Jeder musste fünf Euro für den Monat bezahlen. Herr Kruse erklärte Claire, wofür das Geld war, und sie nickte und sagte etwas, was wahrscheinlich hieß, dass sie es morgen mitbringen würde.

Marie wühlte in ihrem Ranzen. Sie wusste genau, dass sie gestern Abend einen Fünfeuroschein in ihr rot-grün gestreiftes Portemonnaie gesteckt hatte. Aber jetzt war es weg. Das konnte doch nicht wahr sein!

Sie schaute nochmal in allen Fächern nach. Und dann schoss es ihr durch den Kopf: die Pause! Sie hatte vergessen, das Portemonnaie mit auf den Schulhof zu nehmen. Sonst ließ sie es nie in der Klasse, aber heute war sie so aufgeregt gewesen. Wegen Claire.

«Marie, hast du deine fünf Euro dabei?», fragte Herr Kruse und zeigte auf den Kakaogeldbeutel.

«Ich habe das Geld gestern eingepackt, aber jetzt ist mein Portemonnaie verschwunden.»

«O nein!», rief Nina. «Wird bei uns in der Klasse etwa geklaut?»

«Das hat uns gerade noch gefehlt», sagte Sarah. «Bei meinem Bruder ist neulich auch was geklaut worden.»

Herr Kruse seufzte. «Marie, bist du sicher, dass du's nicht zu Hause vergessen hast?»

«Ja, ganz sicher. Heute Morgen, als ich meine Hefte herausgeholt habe, hatte ich es noch.»

«Hat jemand Maries Portemonnaie gesehen?», fragte Herr Kruse und ließ seine Blicke durch die Klasse wandern.

Alle schüttelten die Köpfe.

«Es muss in der Pause passiert sein», sagte Marie zerknirscht. «Ich hab es in der Klasse vergessen.»

«What happened?», fragte Claire.

«I ... I ...» Marie fehlten wieder die Worte.

«Her money is gone», rief Max.

«Oh, no! How awful!»

Herr Kruse hielt plötzlich inne. «Ich glaube, ich habe vorhin vergessen, den Klassenraum abzuschließen. So was Ärgerliches!»

«Kann ja mal passieren», sagte Erkan.

«Marie, das tut mir wirklich leid. Entweder hat sich jemand aus einer anderen Klasse hereingeschlichen. Oder es war sogar jemand von außerhalb, der einfach mal probieren wollte, ob irgendwo eine Tür offen ist.»

«Vielleicht war's ja die Neue», sagte Alex.

Marie erschrak. Wie kam er darauf, Claire zu beschuldigen?

«Das will ich nicht gehört haben», sagte Herr Kruse streng.

Marie sah Claire von der Seite an. Hoffentlich hatte sie nicht verstanden, was Alex gesagt hatte.

«Ich werde dein Kakaogeld einzahlen, weil's mein Fehler war», verkündete Herr Kruse.

«Danke ... »

«Und wenn dein Geld wieder auftauchen sollte, gibst du's mir zurück.»

«Okay.»

Marie sah zu Alex hinüber, der damit beschäftigt war, die Klettverschlüsse seiner Turnschuhe auf- und zuzuziehen. Er wusste, dass das allen auf die Nerven ging, aber er tat es trotzdem.

Wenn Marie es jemandem aus der Klasse zutrauen würde zu klauen, dann war es Alex. Aber das konnte sie natürlich nicht beweisen. Und sie schämte sich auch ein bisschen dafür, dass sie solche Gedanken hatte.

Bei Marie
zu Hause

«Kann es nicht auch sein, dass du dein Portemonnaie verloren hast?», fragte Mam und probierte Julchens Gemüsebrei.

«Nein», antwortete Marie und band ihre Haare zu einem Pferdeschwanz zusammen. «Ich hatte es ja in der ersten Stunde noch.»

«Daaa!!!», schrie Julchen in ihrem Hochstuhl. «Daaa, daaa, daaa!!!»

«Ist ja gut», sagte Mam und setzte sich neben sie, um sie zu füttern.

In dem Moment fing Julchen an zu husten. Seit Tagen hatte sie diesen schlimmen Husten.

«Armes Julchen», sagte Mam und strich ihr über den Kopf. «Nachher gehen wir zum Arzt.»

Marie wusste, was das bedeutete. Sie würde mal wieder auf die Zwillinge aufpassen müssen. Dazu hatte sie überhaupt keine Lust, weil die beiden oft so dickköpfig waren und sie dann Streit bekamen.

«Du bist doch hier, oder?», fragte Mam.

«Hm ...»

«Es wird nicht länger als zwei Stunden dauern.»

«Hunger! Hunger!», riefen die Zwillinge und stürmten in die Küche. Dabei stießen sie beinahe den Hochstuhl um.

«Vorsicht!», rief Mam.

«Was gibt's zu essen?», wollten die Zwillinge wissen.

«Brokkoliauflauf.»

«Hmmm!!!»

«Ich bin gleich fertig mit Füttern», sagte Mam. «Setzt euch schon mal hin.»

«Warum guckst du denn so böse?», fragte Isabelle und zog an Maries Pferdeschwanz.

«Lass das!»

«Ihr ist heute in der Schule das Portemonnaie gestohlen worden», erklärte Mam.

«Oh, wie gemein!»

«War's jemand aus deiner Klasse?», fragte Nele.

«Woher soll ich das wissen?»

«Daaa, daaa, daaa!!!», rief Julchen und griff nach dem Löffel.

«Julchen geht's mal wieder nicht schnell genug», sagte Isabelle und kicherte.

«Es war so ein schönes Portemonnaie», murmelte Marie. «Ich hab's von Oma und Opa zu Weihnachten gekriegt.»

«Das mit den roten und grünen Streifen?», fragte Nele.

«Ja.»

«Vielleicht taucht es ja wieder auf», sagte Mam und stand auf, um den Brokkoliauflauf aus dem Ofen zu holen.

Während Mam ihnen auffüllte, erzählte Marie, dass Herr Kruse ihr Kakaogeld bezahlen würde, weil er in der Pause den Klassenraum nicht abgeschlossen hatte.

«Er hat gemeint, dass es sein Fehler war.»

«Das ist ja sehr nett von ihm. Sobald dein Portemonnaie wieder auftaucht, gibst du Herrn Kruse die fünf Euro natürlich zurück. Und pass in Zukunft bitte besser auf … ich habe dir schon oft gesagt, dass du dein Geld mit auf den Schulhof nehmen sollst.»

«Ich weiß. Sonst denke ich auch immer dran. Aber heute war ich so aufgeregt, weil wir eine Neue bei uns in der Klasse haben.»

«Wie heißt die?», fragte Isabelle.

«Claire, und sie kommt aus Irland.»

«Oh!», staunte Nele.

«Kann sie Deutsch?», fragte Mam.

«Nein, sie ist gerade erst nach Hamburg gezogen.»

«Und wie redest du mit ihr?», wollte Isabelle wissen.

«Weiß ich noch nicht ... »

«Ist sie nett?», fragte Mam.

«Ja.»

Marie sah an Mams Gesicht, was sie jetzt dachte: *Vielleicht kannst du dich mit ihr anfreunden.* Mam fand es schade, dass Marie immer noch keine Freundin gefunden hatte, obwohl sie schon in der dritten Klasse war. Aber Mam vergaß, dass sie nachmittags so oft auf Julchen oder die Zwillinge aufpassen musste und gar keine Zeit hatte, sich mit jemandem zu verabreden.

An diesem Nachmittag waren die Zwillinge ausnahmsweise mal nicht dickköpfig. Marie spielte *Memory* mit ihnen, dann las sie ihnen aus ihrem Lieblings-Katzenbilderbuch vor und ließ sie ihre eigenen Katzen malen.

Die Zwillinge wünschten sich nichts so sehr wie eine Katze, aber sie durften keine haben, weil sie eine Tierhaarallergie hatten. Das hatten sie herausgefunden, als sie Weihnachten bei Oma und Opa gewesen waren. Denen war im letzten Herbst eine kleine schwarze Katze zugelaufen. Die Zwillinge hatten sie noch nicht mal gestreichelt, da fingen ihre Augen schon an zu tränen, und sie mussten immerzu niesen und keuchen.

«Geht das irgendwann weg, diese komische Alla... Alla...?», fragte Isabelle.

«Die Allergie? Ich weiß nicht», antwortete Marie.

«Ich finde es gemein, so was zu haben», meinte Nele.

Marie nickte. Das war wirklich gemein.

«Was heißt Katze auf Englisch?»

«Ich glaube ‹cat›.»

«Und Hund?»

«Das wusste ich schon mal ...»

Marie lief ins Wohnzimmer zum großen Bücherregal. Irgendwo hatten Mam und Pa ein Wörterbuch. Ja, da war's, neben dem Tierlexikon. *Englisch-Deutsch, Deutsch-Englisch* stand auf dem Buchrücken.

Sie zog das dicke Buch aus dem Regal und fing an zu blättern.

«Wir wollen auch gucken!», riefen die Zwillinge und zogen und zerrten an Marie.

«Ihr könnt doch noch gar nicht lesen.»

«Na und?»

«Wir setzen uns aufs Sofa, okay?», schlug Marie vor. «Dann können wir alle was sehen.»

Endlich hatte sie die Seite gefunden, auf der Wörter standen, die mit «Hu» anfingen.

«Hu … Huhn heißt ‹chicken›, Hu … Hummer heißt ‹lobster› und Hu … Hund heißt ‹dog›. Na klar, I have a dog.»

«Was heißt das?», rief Isabelle.

«Ich habe einen Hund.»

«Stimmt ja gar nicht.»

«Nein, aber das ist der Satz, den wir in der Schule geübt haben.»

«Hättest du gern einen Hund?», fragte Nele.

«Ja.»

«Lieber als eine Katze?»

«Eine Katze wäre auch schön.»

«Was heißt, ich habe eine Katze?», fragte Isabelle.

«I have a cat.»

«I have a cat! I have a cat!», riefen die Zwillinge und tanzten dabei durchs Wohnzimmer.

Plötzlich blieb Nele stehen. «Und was heißt, *wir* haben eine Katze?»

«Ich glaube … we have a cat.»

«We have a cat! We have a cat!»

In diesem Augenblick wurde die Wohnungstür aufgeschlossen, und Mam kam mit dem dick vermummten Julchen zurück. «Na, habt ihr schön gespielt?», fragte sie und zog Julchen die Jacke aus.

«We have a cat! We have a cat!», riefen die Zwillinge strahlend.

Mam schaute sie erschrocken an. «Habt ihr etwa eine wilde Katze mit hochgebracht? Ihr wisst doch, dass ihr diese Allergie habt.»

«We have a cat! We have a cat!»

«Ät! Ät!», kreischte Julchen. «Ät! Ät!»

«Wir haben nur ein bisschen Englisch geübt», sagte Marie.

«Da bin ich aber erleichtert», seufzte Mam.

Als die Zwillinge in ihr Zimmer verschwunden waren, hörten sie sie immer noch rufen: «We have a cat! We have a cat!»

«Würdest du dich gern mal mit Claire verabreden?», fragte Mam und nahm Julchen auf den Arm.

«Ja ... aber ich kann so oft nachmittags nicht.»

«Das wird sich ändern», sagte Mam da. «Ich habe schon vor ein paar Wochen mit Pa darüber gesprochen. Wir werden einen Babysitter suchen, der ab und zu mal einspringt.»

«Wirklich?»

«Ja.»

«Warum ist Pa eigentlich noch nicht da?»

«Er hat heute schon wieder länger zu tun», seufzte Mam. «In einem Betrieb ist kurz vor Feierabend die gesamte Elektrik zusammengebrochen. Und da hat ihn die Firma sofort hingeschickt.»

Pa war Elektriker und musste oft Überstunden machen. Aber er beschwerte sich nie, weil sie diesen Extralohn gut gebrauchen konnten. Nach der Geburt der Zwillinge hatte Mam aufgehört, als Erzieherin zu arbeiten. Und da war das Geld bei ihnen manchmal ziemlich knapp.

«Vielleicht frage ich Claire morgen, ob wir nachmittags mal zusammen spielen wollen», sagte Marie.

«Weißt du, wie das auf Englisch heißt?», fragte Mam.

«Nein.»

«Warte mal … Would you like … to play with me in the afternoon?»

«Das ging zu schnell.»

«Ich sag's nochmal langsamer. Möchtest du heißt ‹would you like›.»

«Would you like», wiederholte Marie.

«Mit mir spielen heißt ‹to play with me›.»

«To play with me.»

«Nachmittags heißt ‹in the afternoon›.»

«In the afternoon.»

«Und jetzt alles hintereinander: Would you like to play with me in the afternoon?»

«Would you like … to play with me … in the afternoon?»

«Sehr gut. Frag sie morgen mal, und dann verabredet ihr euch.»

«Would you like to play with me in the afternoon?», wiederholte Marie.

«Ihr könnt gern hierherkommen, auch wenn's etwas eng ist.»

«Okay.»

«Und das Wörterbuch kannst du mit in dein Zimmer nehmen. Du wirst es sicher jetzt öfter brauchen.»

«Danke.»

«We have a cat! We have a cat!», klang es aus dem Zimmer der Zwillinge.

«Would you like to play with me in the afternoon?», murmelte Marie vor sich hin.

Und auf einmal spürte sie, wie sehr sie sich auf morgen freute.

Will You Come
to My Place?

*B*eim Frühstück beeilte sich Marie, weil sie heute etwas früher in der Schule sein wollte. Vielleicht kam Claire ja auch früher. «Would you like to play with me in the afternoon?»

«Was flüsterst du da?», fragte Isabelle.

«Ich übe was auf Englisch.»

«Was denn?»

«Would you like to play with me in the afternoon?»

«Sehr gut», sagte Mam und übersetzte den Satz für die Zwillinge.

«We have a cat! We have a cat!», riefen sie prompt.

«Ät! Ät!», kreischte Julchen. «Ät! Ät!»

«Ich muss jetzt los», murmelte Marie und stand auf.

«Sprichst du gleich Englisch mit Claire?», fragte Isabelle.

«Ich versuch's.»

«Kann sie mal mitkommen?», fragte Nele. «Dann können wir auch Englisch lernen.»

«Ich kenn sie doch noch gar nicht.»

«Viel Spaß!», sagte Mam und gab Marie einen Abschiedskuss.

Heute war wieder so ein kalter, grauer Februartag. Marie zog ihre Mütze über beide Ohren und lief los.

Für ihren Schulweg brauchte sie nur fünf Minuten. Als sie in die Bismarckstraße einbog, sah sie vor der Schule einen dunkelblauen Mercedes stehen. Jetzt ging die Tür auf, und Claire stieg aus. Hoffentlich wohnt sie nicht so weit weg, schoss es Marie durch den Kopf.

«Hi, Marie!», rief Claire und winkte ihr zu.

«Hallo, Claire», rief Marie und winkte zurück.

Wenig später standen sie einander gegenüber und waren erst mal still. Wenn ich doch bloß was auf Englisch sagen könnte, dachte Marie. Sie wollte nicht gleich mit ihrem auswendig gelernten Satz anfangen. Dafür war es noch zu früh.

«Do you live far away?», fragte Claire.

Marie blickte sie fragend an.

«Your apartment ... your house ...», sagte Claire und zeigte auf die Häuser in der Umgebung.

«Ah, du willst wissen, wo ich wohne», antwortete Marie. «In der Tresckowstraße. Das ist zu Fuß nur fünf Minuten von hier.» Jetzt hatte Claire sie nicht verstanden, das sah Marie sofort. «Five ... Minuten ... » Sie zählte an den Fingern bis fünf.

«Five minutes from here? Oh, that's great! I live in Wrangelstraße. That's also not very far.»

Das Einzige, was Marie kapiert hatte, war das Wort Wrangelstraße. Wenn Claire in der Wrangelstraße wohnte, hatten sie Glück. Das war höchstens eine Viertelstunde entfernt. Es gab zwar auf dem Weg eine große Kreuzung, über die sie bisher noch nie allein gegangen war, aber wenn sie mit Mam nochmal übte, würde sie das schon schaffen.

Jetzt kamen auch die anderen und riefen hallo. Nina fragte, ob Marie ihr Portemonnaie wiedergefunden hätte, und Max wollte von Claire wissen, ob es in Irland auch so kalt sei wie hier.

«No, it isn't. In fact we hardly ever have any frost.»

Komisch, dass es in Irland fast nie Frost gab, dachte Marie. Sie hatte geglaubt, dass es dort im Winter besonders kalt wäre.

In dem Moment ging Alex an ihnen vorbei, ohne ein Wort zu sagen.

«What's the matter with him?», fragte Claire.

Wahrscheinlich will sie wissen, was mit ihm los ist, überlegte Marie. «Er ist irgendwie merkwürdig. Niemand weiß warum.»

«‹Merkwürdig› ... What's that?»

Marie verzog das Gesicht, um anzudeuten, was sie mit merkwürdig meinte. Und Claire schien sie zu verstehen.

«You mean, strange?»

«Ja, vielleicht ...»

«He certainly laughs in a strange way.»

«Laugh» hieß lachen, das wusste sie. Ja, Alex' Lachen war wirklich merkwürdig.

«I'll show you.»

Lass das lieber, wollte Marie sagen, als Claire plötzlich anfing, genauso gackernd und schrecklich zu lachen wie Alex.

Er drehte sich mit einem Ruck zu ihnen um und starrte Claire entgeistert an. Sie hatte natürlich längst wieder aufgehört. Und trotzdem hatte Marie sich erschrocken, weil sie wusste, wie sehr Alex es hasste, wenn ihn jemand nachmachte. Hoffentlich würde er Claire das nicht irgendwann heimzahlen.

«Lass uns reingehen», sagte sie leise.

«What's wrong?», fragte Claire.

«Mit Alex musst du vorsichtig sein.»

«Vorsichtig?»

Wo war denn bloß Max? Der wusste bestimmt, was vorsichtig hieß. Marie sah sich um und entdeckte ihn ein Stück weiter unten auf der Treppe.

«Max, was heißt vorsichtig auf Englisch?»

«... careful.»

«Okay ... I've got it», antwortete Claire. «Thanks, Marie.»

Herr Kruse war schon in der Klasse. Als alle auf ihren Plätzen saßen, begrüßte er sie und fragte, ob inzwischen jemand Maries Portemonnaie gefunden hätte. Niemand meldete sich.

«Marie, was haben deine Eltern gesagt?»

«Meine Mutter hat erst gedacht, dass ich's verloren habe. Und mit meinem Vater habe ich noch nicht darüber geredet, weil er gestern Abend so spät von der Arbeit nach Hause gekommen ist.»

«Ich habe mit der Schulleiterin gesprochen und auch mit anderen Kollegen, und wir sind doch sehr besorgt. Es ist ein schlechtes Zeichen, wenn aus den Klassenräumen etwas gestohlen wird.»

«Das finden meine Eltern auch», rief Max. «Mein Papa hat gesagt, dass er mich auf eine Privatschule schicken will, wenn das so weitergeht.»

«Mein Papa hat gesagt, dass sich das bestimmt auf-
klären wird», rief Nina.

Jetzt meldete sich Sarah. «Meine Mama hat gesagt,
dass ich kein Geld mehr mit in die Schule nehmen
darf.»

«Und wie ist es mit dir, Claire? Did you tell your
parents that Marie's purse is gone?»

«Yes, I did. They hope that it'll turn up again
soon.»

«Sie hoffen, dass das Portemonnaie bald wieder
auftaucht», übersetzte Herr Kruse. «Ja, das hoffen
wir auch.»

«Ich hab zu Hause gar nichts davon erzählt», meinte Erkan. «Dann regen sich meine Alten nur auf.»

«Und du, Ragip?», fragte Herr Kruse.

«... Bei mir war den ganzen Nachmittag niemand
zu Hause.»

«Und wie war's bei dir, Alex?»

«Meine Mutter war zu Hause.»

«Das habe ich nicht gemeint.»

«Ich hab's nicht erzählt.»

«Warum nicht?»

«Vergessen.»

Marie sah, dass Herr Kruse die Stirn runzelte. Ob
er Alex auch verdächtigte?

33

«Ich bitte euch alle, in Zukunft noch wachsamer zu sein und gut auf eure Portemonnaies aufzupassen. Bringt so wenig Geld wie möglich mit in die Schule.»

«Und wie machen wir das dann mit dem Kakaogeld?», fragte Max.

«Künftig werde ich das Geld gleich in der ersten Stunde einsammeln. Und ich werde mich bemühen, in der Pause immer den Klassenraum abzuschließen.»

Das hat Claire bestimmt nicht verstanden, dachte Marie. Herr Kruse musste das auch gedacht haben, denn jetzt übersetzte er für Claire, die ihn mit großen Augen anschaute und dann nickte.

In der Pause wollte Marie eigentlich gern ihren englischen Satz loswerden, aber Nina und Sarah kamen sofort auf Claire und sie zugelaufen und fragten, ob sie mit ihnen Gummitwist spielen würden.

«Kennst du das?», fragte Marie.

Claire schüttelte den Kopf.

Sie zeigten es ihr, und es dauerte nicht lange, da konnte Claire es mindestens so gut wie sie.

«Machst du viel Sport?», fragte Nina.

«Yes, I play tennis.»

«Max spielt auch Tennis», sagte Sarah.

«Ja, in irgendeinem teuren Club an der Alster», rief Nina.

Marie dachte an den dunkelblauen Mercedes, in dem Claire morgens zur Schule gebracht worden war. Wahrscheinlich hatte sie reiche Eltern, so wie Max, und würde bald auch in einem Club Tennis spielen.

«But I also like swimming», sagte Claire.

«Schwimmen?», rief Marie. «Das mag ich am allerliebsten.»

«Aller… what?»

«I … love it.»

«Ich nicht», murmelte Nina, die nicht schwimmen konnte, weil sie Angst vorm Wasser hatte.

«Du lernst es schon noch», tröstete Marie sie.

«Glaub ich nicht.»

«What did she say?», fragte Claire.

«Nina … kann … nicht … schwimmen», erklärte Sarah.

«She can't swim?»

«Genau.»

«I only learned it last year.»

«Was?», fragte Marie.

«Ich … learned …»

«Lernen?»

«Last year ... when I was eight.»

«Ah, sie hat erst mit acht schwimmen gelernt!», rief Nina.

«Siehst du», sagte Marie, «das schaffst du auch irgendwann.»

Als es wieder zur Stunde klingelte, rannten Sarah und Nina vor, weil sie ihre Brote im Klassenzimmer vergessen hatten und schnell noch was essen wollten.

Marie holte tief Luft. «Would you like ... to play with me in the afternoon?»

Claire schaute sie verblüfft an. «Yes ... that would be great!»

«Ich schreib dir gleich meine Adresse auf.»

«Adresse? ... Your address?»

«Ja.»

«And I'll give you mine.»

«Okay.»

«Will you come to my place?», fragte Claire.

«Das hab ich nicht verstanden.»

Claire zeigte auf Marie und dann auf sich. «Du ... to Wrangelstraße?»

«Ja, gern ... wenn das geht ...»

«Great.»

Marie zeigte auf ihre Uhr. «Und wann?»

«At four o'clock?»

«Okay.»

Claire strahlte, und Marie strahlte auch.

«Was ist denn mit euch los?», rief Erkan. «Habt ihr im Lotto gewonnen?»

Dies war besser, als im Lotto zu gewinnen, dachte Marie und fühlte sich plötzlich ganz leicht. Sie hatte eine Freundin! Endlich hatte sie eine Freundin gefunden!

Zu Besuch
bei Claire

«Wir bringen dich hin», verkündete Mam, als Marie mittags erzählte, dass Claire sie zu sich eingeladen hätte.

«Nur über die große Ampel, den Rest kann ich allein gehen.»

«Nein, ich will sehen, wo Claire wohnt», sagte Mam entschieden.

So zogen sie also um zwanzig vor vier zu fünft los: Isabelle und Nele rannten vorweg, Mam schob das hustende Julchen im Kinderwagen, und Marie lief nebenher. Sie war so aufgeregt, dass sie einen ganz trockenen Mund hatte.

Die Fußgängerampel an der Mansteinstraße stand auf Rot, und es gab viel mehr Verkehr, als sie in Erinnerung hatte.

«Nachher rufst du mich an, dann holen wir dich ab», sagte Mam.

Marie nickte erleichtert.

«Was meinst du, wie lange du bleiben möchtest?»

«Ich weiß nicht ...»

«Bis sechs?»

«Okay.»

Als sie in die Wrangelstraße einbogen, fingen die Zwillinge an zu quengeln, dass sie mit zu Claire kommen wollten.

«Nein!», sagte Marie. «Das ist meine Verabredung.»

«Können wir ihr nicht hallo sagen?», fragte Isabelle.

«Oder unseren englischen Satz?»

«Nein!!!»

«We have a cat! We have a cat!», riefen sie beide.

«Ät! Ät!», kreischte Julchen. «Ät! Ät!»

«Nun hört mal auf», sagte Mam.

Zwei Minuten später standen sie vor dem schönen, alten Haus, in dem Claire wohnte. Es war weiß gestrichen und hatte viele Balkone.

Marie drückte Mam zum Abschied und lief auf die hohe Eingangstür zu. Kaum hatte sie geklingelt, da hörte sie schon den Türsummer. Claire wohnte im dritten Stock, das hatte sie ihr mittags noch gesagt.

Unten im Treppenhaus gab es einen großen Spie-

gel an der Wand, der Fußboden war aus Marmor, und an der Decke hing ein Kronleuchter. Marie war noch nie in einem solchen Haus gewesen.

«Hi!», sagte Claire, als Marie oben ankam.

«Hallo!»

«It's great you're here.»

Das hieß wahrscheinlich, dass sie sich freute, dachte Marie und lächelte.

«I'm Claire's mum», sagte da eine Frau, die genauso schwarze Haare und blaue Augen hatte wie Claire. «How nice of you to come!»

Claires Zimmer lag am Ende des Flurs. Es war größer als das Wohnzimmer bei Marie zu Hause. Und es gab so viele Spielsachen, dass Marie gar nicht wusste, wohin sie zuerst blicken sollte. Auf Claires Bett lagen lauter Stofftiere: ein riesiger Löwe, ein Hase, ein Bär, ein Zebra, eine Giraffe, ein Elefant und ein Papagei. Sie hatte ein Puppenhaus mit zwei Stockwerken, einen richtigen Laden mit Tresen, Waage und einer Kasse, ein Schaukelpferd und eine riesige Kiste voller Legosteine. Im Regal standen ein Fernseher, eine Stereoanlage und viele CDs. An den Wänden hingen Plakate mit Fotos von Seehunden, Eisbären und Tigern. Aber worüber Marie am meisten staunte, war ein kleiner rosafarbener Frisiertisch mit einem ovalen Spiegel. Davor stand ein rosafarbener Hocker. Ob Claire hier abends saß und ihre Haare bürstete?

«Du hast vielleicht ein schönes Zimmer!», sagte sie voller Bewunderung.

«Zimmer?», fragte Claire. «Do you mean the room?»

«... Yes», antwortete Marie. «Es ist ... beautiful!»

«Thanks!»

Jetzt kam Claires Mutter herein: «Would you like some apple juice with mineral water?»

Marie nickte. Sie hatte zwar nur das Wort «apple» verstanden, aber Äpfel mochte sie. Das konnte also nicht verkehrt sein.

Kurz darauf bekamen sie jede eine Apfelschorle und einen Muffin mit Schokoladenstückchen. Hmmm, lecker, dachte Marie. Sie setzten sich an den Tisch unterm Fenster und fingen an zu essen.

«Do you have a pet?», fragte Claire nach einer Weile.

«Was ist das?»

«An animal, which you keep at home, like a dog or a cat.»

«Ah, du meinst ein Haustier. Nein, leider nicht, weil die Zwillinge eine Tierhaarallergie haben.»

«You have an allergy?»

«Nein, die Zwillinge … the twins.»

«That's too bad.»

Was hieß «bad»? Das Wort hatte sie schon mal gehört. Good and bad. Gut und schlecht. Ja, das war wirklich schlecht.

«My parents have promised me that I would get a guinea pig.»

«Das hab ich nicht verstanden.»

«A pig makes a sound like this», sagte Claire und grunzte plötzlich wie ein Schwein.

Marie fing an zu kichern. Wollte sie etwa ein Schwein in ihrem Zimmer halten?

Claire musste jetzt auch kichern. «A guinea pig is a very small pig with fur.»

«‹Fur› … Was ist das?»

«Hair.»

«Und ‹small›?»

Claire zeigte mit den Fingern eine Größe von höchstens zwanzig Zentimetern.

«Ein winziges Schwein mit Haaren? Ah, jetzt weiß ich's: ein Meerschweinchen!»

«I'll get one because we had to move again.»

Marie zuckte mit den Achseln. Was bedeutete «move»?

«I'll show you.»

Claire stand auf und setzte sich ihren Ranzen auf den Rücken. Dann wickelte sie ihren Löwen und die anderen Stofftiere in die Bettdecke, griff nach den vier Zipfeln der Decke und hängte sie sich wie einen Sack über die Schulter. So ging sie auf die Tür zu. Wo wollte sie denn hin mit all den Sachen?

«Do you get it?»

«Nein ...»

Claire legte alles wieder aufs Bett zurück und kletterte auf ihren Hocker, um einen Globus vom Schrank zu holen. Den hatte Marie bisher noch gar nicht bemerkt.

«This is Ireland», sagte Claire und zeigte auf eine Insel westlich von Großbritannien. «And here is Dublin.»

«Und da hast du vorher gewohnt.»

«Until I was six.»

«Bis du sechs warst?»

Claire nickte. «And then we moved to New York.»

Ihr Finger war übers Meer nach Amerika gewandert.

«In New York hast du auch schon gewohnt?», fragte Marie verblüfft.

«Yes, for one year.»

«Ein Jahr lang, okay. Und dann?»

«Then we moved to Brussels.» Claires Finger wanderte nach Europa zurück, bis nach Belgien. «That's where we lived for two years ... »

«Da habt ihr zwei Jahre gewohnt.»

«Yes, and three days ago we moved again, to Hamburg.»

«Ah, jetzt weiß ich, was du mit dem Gepäck gemeint hast: den Umzug!»

«Yes, the move. I didn't want to move again.»

«Das kann ich verstehen. Warum seid ihr denn so oft umgezogen?»

«Because the bank my Dad works for sent him from one city to another.»

«Moment mal: Dein Vater arbeitet bei einer Bank ... »

«Yes, it's a big international bank.»

«Und die Bank hat ihn von einer Stadt in die andere geschickt.»

Claire nickte. «And this time they have promised me a guinea pig.»

««Promise› ... Was heißt das?»

Claire überlegte und holte dann ein Wörterbuch. Ruck, zuck hatte sie das Wort gefunden. Wahrscheinlich hatte sie schon oft Wörter nachgeschlagen.

«Ver-sprechen.»

«Okay. Ich hab's kapiert: Deine Eltern haben dir ein Meerschweinchen versprochen. Weil du schon wieder umziehen musstest.»

«That's it.»

«Und wann bekommst du's?»

«On Monday.»

«Schon am Montag? Hey, das find ich toll!»

Claire nickte und grunzte nochmal kurz. Und Marie grunzte mit. Plötzlich mussten beide lachen. Jedes Mal, wenn sie sich ansahen, prusteten sie von neuem los. Da machte es gar nichts, dass Claire Englisch sprach und sie Deutsch.

Lucky You!

Als Marie am nächsten Morgen aufwachte, goss es in Strömen. Dabei hatte sie so gehofft, dass es nochmal schneien würde. In Irland gab es ganz selten Schnee, hatte Claire ihr gestern beim Abschied erzählt. «Snow» hieß das auf Englisch, und ein Schneemann war ein «snowman».

«Vielleicht hat Claire Lust, heute Nachmittag zu uns zu kommen», sagte Mam beim Frühstück. «Dann kann ich sie auch mal kennenlernen.»

«Jaaa!!!», riefen die Zwillinge.

«Ich frag sie nachher. Aber wenn sie kommt, wollen wir nicht die ganze Zeit mit euch spielen.»

«Claire vielleicht schon», rief Isabelle.

«Hat sie Geschwister?», fragte Nele.

«Nein.»

«Na, siehst du», sagte Isabelle.

«Die findet es bestimmt toll, wenn jemand Schwestern hat», rief Nele.

Marie seufzte. Manchmal wünschte sie, sie wäre ein Einzelkind wie Claire und müsste nicht immer das Gerede der Zwillinge ertragen.

«Daaa!!! Daaa!!! Daaa!!!», schrie Julchen.

Als ob sie Marie daran erinnern wollte, dass sie auch noch da war. «Ist ja gut», sagte Marie und gab Julchen einen Kuss. «Wenn Claire zu Besuch kommt, werdet ihr sie alle kennenlernen.»

«Ich könnte Waffeln backen», schlug Mam vor.

«Jaaa!!!», schrien die Zwillinge begeistert.

«Vielleicht hat sie gar keine Zeit», sagte Marie und stand auf.

Auf dem Schulweg überlegte sie, was Claire gestern zu ihr gesagt hatte. Will you come ... Will you come ... Der Satz ging noch weiter, aber sie erinnerte sich nicht mehr an den Rest.

Als sie auf den Schulhof kam, war Claire noch nicht da. Marie blickte sich um und sah, wie Alex auf Ragip zuging und ihn etwas fragte. Merkwürdig, sie hatte Alex noch nie mit Ragip sprechen sehen. Ragip schien es auch merkwürdig zu finden, denn er runzelte die Stirn. In dem Moment zog Alex etwas aus seiner Anoraktasche und drückte es Ragip in die Hand. Dann rannte er weg.

Hoffentlich hat er ihm nicht irgendwas Fieses gegeben, dachte Marie. Aber so was hätte Ragip bestimmt längst fallen gelassen. Stattdessen stand er da und starrte auf seine Hand. Marie war so neugierig, dass sie beschloss, zu ihm zu gehen und ihn zu fragen, was er von Alex bekommen hatte.

Als sie bei ihm ankam, steckte er gerade die Hand in die Tasche.

«Hat Alex dir was geschenkt?»

«Ja . . .»

«Was denn?»

«Ein Milky Way.»

«Ein richtiges Milky Way? Und nicht nur das Papier mit irgendeinem Dreck drin?»

«Nein.» Ragip zog seine Hand aus der Tasche, und darin lag ein Milky Way.

«Vielleicht will er jetzt nicht mehr so blöd sein wie sonst», überlegte Marie laut.

«Er hat mich gefragt, ob ich mit ihm spiele.»

«Und was hast du gesagt?»

«Gar nichts . . . Ich mag Alex nicht . . .»

«Ich auch nicht», gestand Marie.

«Hi, Marie!»

Claire stand am anderen Ende des Schulhofs und kam jetzt auf sie zugelaufen.

«Hallo, Claire.»

«Hi! Hallo! Hi! Hallo!», hörte Marie da eine feixende Stimme rufen.

Sie drehte sich um und sah Alex, der oben auf dem Klettergerüst saß und ihnen die Zunge herausstreckte.

«Lass uns in Ruhe!»

«Hi! Hallo! Hi! Hallo!»

«Der nervt», murmelte Ragip und zog kopfschüttelnd ab.

«Komm», sagte Marie und hakte Claire unter. «Wir gehen rein.»

«Did you get home all right?»

«Home» hieß Zuhause und «all right» bedeutete in Ordnung. Wahrscheinlich wollte Claire wissen, ob sie gut nach Hause gekommen war.

«Ja, das hat gut geklappt.» Sie hatte von Claire aus angerufen, und Mam war ihr entgegengekommen.

«I was so glad you were able to come.»

«Ich fand's auch schön bei dir.»

Claire strahlte.

«Hast du Lust, heute mal zu mir zu kommen?», fragte Marie, als sie im Treppenhaus waren.

«Sorry, I didn't understand that.»

«Will you come ...» Marie zeigte auf sich.

«To your place?»

«Ja ... Will you come to my place?»

«I'd love to.»

«Heute um vier?», fragte Marie und zeigte auf ihre Uhr.

«At four o'clock. Okay.»

«Okay! Okay! Okay!», schrie Alex, der sich heimlich auf der Treppe angeschlichen hatte.

Marie fuhr zu ihm herum und funkelte ihn wütend an. Doch Alex lachte nur sein gackerndes, schreckliches Lachen.

«Wie spät ist es?», rief Isabelle. «Ich hab Hunger auf Waffeln.»

«Kurz nach vier», murmelte Marie. Hoffentlich hatte Claire nicht ihre Adresse vergessen.

«Wenn sie nicht kommt, gibt's dann auch keine Waffeln?», fragte Nele.

«Doch», antwortete Mam und verschwand ins Schlafzimmer, um das weinende Julchen zu holen.

Marie kämpfte plötzlich mit den Tränen. Die Zwillinge dachten nur an ihre blöden Waffeln. Aber für sie ging's um viel mehr. Sie wäre so enttäuscht, wenn Claire nicht käme.

Julchens Weinen war in Husten übergegangen.

Mam legte sie über ihre Schulter und klopfte ihr sanft auf den Rücken.

In dem Augenblick klingelte es.

«Ich gehe!», schrien die Zwillinge wie aus einem Mund.

«Nein, ich!», rief Marie.

Aber da rissen die beiden schon die Wohnungstür auf und rannten die Treppe hinunter.

Ist auch egal, dachte Marie. Dann sieht Claire gleich mal, wie das ist, Geschwister zu haben.

«Hallo, ich heiße Isabelle.»

«Und ich heiße Nele», hörte sie sie rufen.

«And I'm Claire.»

Kurz darauf tauchte Claire oben auf der Treppe auf. An jeder Hand hatte sie einen Zwilling.

«Sorry, I'm late, but my mother got lost.»

«‹Lost› ...?»

«Ihre Mutter hat sich bestimmt verfahren», sagte Mam und ging mit dem weinenden Julchen auf dem Arm auf Claire zu. «Hallo, Claire. Wie schön, dass du uns besuchst.»

In dem Moment hörte Julchen auf zu weinen und sah Claire mit großen Augen an.

«Hello», sagte Claire und lächelte.

«Da! Da!», rief Julchen und lachte.

«Sie heißt Julchen», rief Isabelle.

«Und sie ist ein Jahr alt», fügte Nele hinzu.

«She's so sweet.»

«Was heißt das?», fragte Isabelle.

«Süß», antwortete Mam.

«Wir können auch einen englischen Satz», rief Isabelle und gab Nele einen Knuff.

«We have a cat! We have a cat!»

«Really?», fragte Claire erstaunt. «I thought you had an allergy.»

«They don't have a cat», sagte Mam. «Sie wollen nur was auf Englisch zu dir sagen.»

Allmählich wurde Marie ungeduldig. «Wir gehen jetzt in mein Zimmer. Ihr könnt uns ja rufen, wenn die Waffeln fertig sind.»

«Nein!», riefen die Zwillinge.

«Waffeln?», fragte Claire. «Are they waffles?»

Mam nickte.

«Hmmm, I love waffles.»

«Ich auch», sagte Marie und wollte Claire hinter sich her in ihr Zimmer ziehen. Doch in dem Moment streckte Julchen ihre Ärmchen nach Claire aus.

«Du kannst sie gern mal halten», sagte Mam.

Vorsichtig nahm Claire Julchen auf den Arm und strich ihr über den Kopf.

«Lucky you», flüsterte sie Marie zu.

Lucky hieß glücklich, dachte Marie. Aber warum sollte sie besonders glücklich sein? Weil sie eine Schwester wie Julchen hatte? Sie sah Claire von der Seite an. Vielleicht wünschte sich Claire nichts mehr, als eine kleine Schwester zu haben.

So blieben sie in der Küche sitzen, während Mam den Teig rührte und das Waffeleisen heiß wurde. Solange Claire sich nicht langweilte, war Marie alles recht. Und Claire schien sich ganz und gar nicht zu langweilen.

«Magst du Zimt und Zucker?», fragte Mam.

«‹Zucker› is sugar, but what is ‹Zimt›?»

Marie hielt ihr das Glas mit Zimt unter die Nase.

«Ah, cinnamon! Delicious!»

«Was war das für ein Wort?»

«Delicious», antwortete Mam. «Das heißt köstlich!»

Die Zwillinge holten ihre Puppen und ihre Stofftiere, um sie Claire zu zeigen und die englischen Namen für die Tiere kennenzulernen.

«That's a bear», sagte Claire und zeigte auf den Bären, der neben der Ente saß. «And that's a duck.»

«Und was ist das?», rief Isabelle und hielt den Fisch hoch.

«A fish.»

«Das ist ja genau dasselbe Wort.»

«Und das hier?», fragte Nele und drückte ihre Ziege an sich.

«A goat.»

Später aßen sie so viele Waffeln, dass sie beinahe platzten. Und als Claires Mutter klingelte, konnte Marie es gar nicht glauben, dass es schon sechs war.

«Kommst du bald wieder?», fragte Isabelle.

Claire zuckte mit den Achseln. «What did she say?»

«Will you come back soon?», übersetzte Mam.

«I'd love to.»

Marie sah ihr nach, wie Claire die Treppe hinunterlief. Sie würde bestimmt bald wiederkommen.

Beste Freundinnen

Und Claire kam wieder. Meistens trafen sie sich abwechselnd einen Nachmittag bei Marie und einen Nachmittag bei Claire. Marie wusste, wie sehr Claire sich auf Julchen und die Zwillinge freute. Sie freute sich dafür auf Claires schönes, großes Zimmer mit den vielen Spielsachen. Hier war es so ruhig und ordentlich, und niemand störte sie beim Spielen. Und sie hatten immer viel Spaß mit dem braun-weißen Meerschweinchen, das in einem Käfig wohnte. Claire hatte es Billy getauft.

«Ich finde es toll, wie ihr es schafft, euch zu verstehen», sagte Pa eines Abends.

«Manchmal ist es aber auch schwer», antwortete Marie.

«Dann müssen sie in den dicken Büchern nachgucken», rief Isabelle.

«Oder was aufmalen», rief Nele.

«Oder wir fragen Mam», murmelte Marie.

«Oder ihr spielt euch gegenseitig vor, worum's geht», sagte Mam. «Ist Claire nicht bei deinem ersten Besuch schwerbepackt durchs Zimmer gelaufen, um dir zu zeigen, was umziehen bedeutet?»

Marie nickte. Claire hatte wirklich witzige Ideen. Vor ein paar Tagen war sie bei ihr gewesen, und Claire hatte versucht, ihr etwas zu erzählen, aber sie hatte sie nicht verstanden.

«I'll show you», rief Claire und verschwand hinter ihrem Spielzeugladen.

Das hieß, dass sie ihr wieder was zeigen würde. Und im nächsten Moment tauchte sie als Clown verkleidet vor ihr auf. Sie stapfte durchs Zimmer und blieb plötzlich wie angewurzelt stehen.

«Where are you?», rief sie entsetzt und zeigte auf den Käfig.

Dort saß Billy und blickte sie erstaunt an. Claire schmiss sich auf den Fußboden und robbte durchs Zimmer. Sie schaute unters Bett, unter den Frisiertisch und unter den Schrank. Dann schoss ihr Arm plötzlich nach vorn, aber ihre Hand war leer, als sie sie wieder hervorzog.

«I saw you!», rief sie und sprang auf. Sie lief im Zimmer hin und her, bückte sich immer wieder und griff nach etwas, aber sie war nicht schnell genug.

«I'll get you!»

Marie fing an zu lachen. Es sah so komisch aus, wie Claire als Clown im Zimmer herumrannte und irgendwas suchte.

Schließlich stolperte sie und fiel der Länge nach hin. Sie wollte gerade anfangen zu weinen, als ihr vor Staunen der Mund offen blieb. Direkt vor ihrer Nase saß etwas, was sie mit schrägem Kopf ansah. Sie nahm es vorsichtig in die Hand und streichelte es.

«Jetzt hab ich's kapiert!», rief Marie. «Billy ist ausgebüxt, und du hast ihn überall gesucht. Und dabei bist du sogar hingefallen. Aber dann saß Billy auf einmal vor dir und hat sich von dir in die Hand nehmen lassen, und du hast ihn gestreichelt.»

«Ge-streichelt . . . », sagte Claire und nahm ihre Clownsnase ab. «I stroked him . . . for the first time.»

«Zum ersten Mal?», fragte Marie.

Claire nickte und hockte sich vor den Käfig. Sofort verschwand Billy in seinem Haus.

«He's so shy.»

«Heißt das schüchtern?»

«I'll show you.» Claire verbarg ihr Gesicht hinter ihren Händen und sah auf einmal auch ganz schüchtern aus.

«Shy», wiederholte Marie.

In dem Augenblick fing Billy laut an zu quieken, und da mussten sie beide lachen.

«Jetzt ist er nicht mehr schüchtern», rief Marie.

«Because he's hungry», sagte Claire und gab ihm eine Möhre.

Als kurz darauf die Märzferien anfingen, fuhr Claire mit ihren Eltern nach Dublin, um ihre Großeltern zu besuchen. Marie hätte sich niemals vorstellen können, dass es möglich war, jemanden so sehr zu vermissen. Dabei kannten sie sich doch noch gar nicht so lange.

Eines Abends rief Claire sie von Dublin aus an. Marie war so aufgeregt, dass sie zuerst nicht wusste, was sie sagen sollte.

«How are you?»

«Ich ... ich vermisse dich ...»

«I miss you, too.»

«Wann kommst du wieder?»

«Next Sunday.»

Sunday war Sonntag, überlegte Marie. Bis Sonntag war es noch fast eine Woche.

«Is it still so cold and wet?»

Cold war kalt. Aber was hieß «wet»?

«It's wet when it's raining», sagte Claire, als ob sie ihre Gedanken lesen konnte.

«Ja, es regnet die ganze Zeit, und gestern hat es sogar geschneit.»

«In Dublin it's already spring. It's sunny and warm. And there are lots of flowers.»

Sonnig und warm war's in Dublin. Und «flowers» waren Blumen. Dann hieß «spring» bestimmt Frühling.

«Hier ist es noch Winter», sagte Marie.

«Perhaps we could go to the cinema when I'm back.»

«Was ist ein ‹cinema›?»

«It's a place where you watch a film.»

«Ah, du meinst ein Kino!», rief Marie. «Ja, das wär toll. Vielleicht gehen wir in einen Zeichentrickfilm.»

«What's that?»

«Zum Beispiel ein Film von Walt Disney», erklärte Marie.

«Ah, you mean a cartoon! Yes, that would be fun.»

«‹Fun› ...?»

«I think that's ... ‹Spaß› ...»

«Ah, okay ... Ja, das find ich auch.»

«Sorry, I have to go now. My mum is calling that supper is ready», sagte Claire.

«Was ist ‹supper›?»

«We're going to eat now.»

«Ah, ihr esst jetzt.»

«Bye, Marie.»

«Tschüs, Claire.»

«And say hello to Julchen and the twins.»

«Mach ich.»

Langsam legte Marie den Hörer auf. Sie konnte es noch nicht richtig fassen, dass Claire sie gerade aus Dublin angerufen hatte.

«Ist Claire jetzt deine beste Freundin?», fragte Isabelle, als sie in die Küche zurückkam.

«Ja.»

«Auch wenn du nicht alles verstehst, was sie sagt?», rief Nele.

«Ja, trotzdem.»

«Außerdem fällt es dir schon etwas leichter als vor ein paar Wochen», sagte Mam. «Stimmt's?»

Marie nickte. Sie wunderte sich selbst darüber, dass sie manchmal Wörter verstehen konnte, die sie nie vorher gehört hatte.

Marie hatte sich so auf Claires Rückkehr gefreut, und dann wurde sie einen Tag vorher krank. Sie hatte plötzlich hohes Fieber und hustete so stark, dass Mam sie ins Bett steckte. Doktor Meier musste kommen und ihre Lunge abhorchen. Zum Glück hatte sie keine Lungenentzündung, sondern nur eine Bronchitis.

Marie hasste den Hustensaft, den sie einnehmen musste, aber noch schlimmer war die Langeweile. Ihre Bücher hatte sie alle schon dreimal gelesen. Und Besuch durfte sie nicht bekommen, weil Mam Angst hatte, dass andere Kinder sich bei ihr anstecken könnten.

Doch irgendwann klingelte es, und Claire stand vor der Tür. Sie brachte ihr einen grauen Kieselstein mit, den sie am Strand in Dublin gefunden hatte. Er war oval und glatt und passte genau in Maries Hand. Durch die Mitte zog sich ein feiner weißer Streifen, wie eine Ader.

«Schön ist der», sagte Marie. «Danke.»

«Will you be better soon?», fragte Claire.

«Hoffentlich», murmelte Marie. «Ich hab die Nase voll vom Kranksein.»

«‹Die Nase voll› ... What's that?»

«Ich will nicht mehr krank sein.»

Claire nickte. «It's not the same at school without you.»

«Sind die anderen nicht nett zu dir?»

«They are fine ... only Alex isn't. But it's more fun when you're there.»

«Alex kannst du vergessen», meinte Marie.

«I'm not so sure ...»

«Wieso nicht?»

«He's always on his own.»

«Ja, weil er so blöd ist. Deshalb will niemand mit ihm spielen.»

«And why is he like that?», wollte Claire wissen.

«Keine Ahnung.»

Sie schwiegen beide eine Weile, während Marie den Streifenkiesel von einer Hand in die andere legte. Es war der schönste Stein, den sie je gesehen hatte.

«Nina's purse was stolen today», sagte Claire auf einmal.

«Was? Das hab ich nicht verstanden.»

Claire holte ihr Portemonnaie aus dem Rucksack und sagte: «That's a purse. Someone took away Nina's purse.»

«O nein! Ist bei uns in der Schule schon wieder geklaut worden?», keuchte Marie entsetzt.

Claire nickte. «She lost ten Euro.»

«So was Gemeines!»

«Herr Kruse wants to talk to the parents.»

«‹Parents› ... Was heißt das?»

«Your mum and dad are your parents.»

«Ah, er will mit den Eltern reden.»

«This can't go on.»

«Hatte Herr Kruse wieder vergessen, den Klassenraum abzuschließen?», fragte Marie.

«No, it happened in the changing room while we were having P. E.»

«‹P. E.› ... Was heißt das?»

«Physical   education ...   In   German   it's ...
‹Sport›.»

«Ah, diesmal ist es im Umkleideraum passiert. Da können auch Leute von draußen reinkommen.»

«I don't think it was someone from outside.»

«Glaubst du, es war jemand aus unserer Klasse?», fragte Marie.

«I don't know ...»

Marie sah, dass Claire nicht sagen wollte, wen sie verdächtigte. Ob sie an Alex dachte?

Baloo, the Bear

Marie war noch krank, als der Elternabend stattfand. Mam berichtete ihr anschließend, dass alle Eltern sehr besorgt seien. In nächster Zeit sollte möglichst niemand mehr Geld mit in die Schule bringen.

«Und was ist mit dem Kakaogeld?», wollte Marie wissen.

«Das werden wir Eltern Herrn Kruse persönlich geben.»

«Hat denn niemand eine Ahnung, wer der Dieb sein könnte?»

Mam sah sie erstaunt an. «Nein. Hast du jemanden im Verdacht?»

Marie strich über ihren Streifenkiesel. Sollte sie ihr sagen, dass sie es Alex zutrauen würde? Nein, das wäre nicht fair.

Langsam schüttelte sie den Kopf.

«Wirklich nicht?», fragte Mam.

«Nein.»

Kurz nachdem Marie wieder gesund war, lud Claire sie ein, nachmittags zusammen mit ihr und ihrer Mutter ins Kino zu gehen. Im Grindel-Kino lief *Das Dschungelbuch*. Marie kannte den Film zwar schon, aber sie hatte ihn bisher nur im Fernsehen gesehen. Und Balu, den Bären, liebte sie über alles. Sein Lied *Probier's mal mit Gemütlichkeit* konnte sie sogar auswendig.

«Können wir nicht mitkommen?», fragte Isabelle beim Mittagessen.

«Nein», antwortete Marie und löffelte ihre Linsensuppe.

«Claire würde sich bestimmt freuen!», rief Nele.

«Das ist *meine* Verabredung mit Claire. Ihr seht sie oft genug.»

«Nein!!!», riefen die beiden wie aus einem Mund.

Hätte sie bloß den Zwillingen nichts von dem Film erzählt.

In dem Moment fing Julchen im Schlafzimmer an zu brüllen.

«Müsst ihr denn immer so laut sein?», seufzte Mam und stand auf. «Julchen war gerade eingeschlafen.»

Sie brüllte nicht mehr, als Mam mit ihr auf dem Arm in die Küche zurückkam, sondern schaute alle mit großen Augen an, als ob sie sie zum ersten Mal sähe. Wie wonnig sie ist, dachte Marie. Kein Wunder, dass Claire neulich gesagt hatte, sie wünschte, sie hätte eine Schwester wie Julchen. Hoffentlich würde sie auch irgendwann eine Schwester oder einen Bruder bekommen.

«Ich finde es erstaunlich, dass Claire nach zweieinhalb Monaten schon genug Deutsch versteht, um ins Kino zu gehen», sagte Mam und gab Julchen eine Flasche. «Einen Film in einer Fremdsprache zu sehen ist nicht so einfach.»

Marie zuckte mit den Achseln. Claire hatte nichts davon erwähnt, dass es schwierig wäre.

Als sie eine Stunde später zum Kino kam, begriff sie auch warum. Da wurde *The Jungle Book* angekündigt. Das hieß, dass der Film auf Englisch lief, und dann würde sie kaum etwas verstehen.

«Hi, Marie!», hörte sie Claire in dem Moment rufen.

Sie drehte sich um und sah, wie Claire mit ihrer Mutter auf sie zukam. «Hallo.»

«Hello, Marie», sagte Claires Mutter und lächelte. «I'm glad you're better again.»

«Better»? Das hieß wahrscheinlich besser. Sie freute sich darüber, dass es ihr wieder besserging.

«I hope it's all right to watch the film in English with subtitles», sagte Claire.

«Was sind ‹subtitles›?»

«You can read the German text on the screen.»

«Aha. Und ‹screen›, was heißt das?»

«That's where you see the pictures», erklärte ihre Mutter.

«It won't be difficult», sagte Claire und drückte ihren Arm.

Sie hatte recht. Es dauerte nicht lange, dann hatte Marie sich daran gewöhnt, den Text zu lesen, der unten auf der Leinwand erschien. Hier und da versuchte sie auch, das Englische zu verstehen, und weil sie den Film kannte, klappte das manchmal sogar.

Auf dem Nachhauseweg unterhielten sie sich über Mogli, das Findelkind, das bei den Tieren des indischen Dschungels aufwächst.

«I love Mowgli», sagte Claire. «And I wish I were as brave as him.»

«‹Brave› ... was ist das?»

«If you're not afraid.»

«Wenn du keine Angst hast? Ah ... okay, das heißt mutig.»

«But he isn't always brave», sagte Claires Mutter. «He needs the animals.»

«Vor allem Baloo!», rief Marie.

«Balu, the bear!», rief Claire.

Und dann fingen sie an, das Lied von Balu, dem Bären, zu singen. Zuerst sang Marie den deutschen Text, und Claire summte mit.

Probier's mal mit Gemütlichkeit,

Mit Ruhe und Gemütlichkeit

Wirfst du die dummen Sorgen über Bord.

Und wenn du stets gemütlich bist

Und etwas appetitlich ist,

greif zu, denn später ist es vielleicht fort.

Dann tauschten sie die Rollen, und jetzt sang Claire.

Look for the bare necessities

The simple bare necessities

Forget about your worries and your strife

I mean the bare necessities

Old Mother Nature's recipes

That brings the bare necessities of life.

Am Ende prusteten sie beide los vor Lachen, weil schon ein paar Leute stehengeblieben waren, um ihnen zuzuhören.

«Ich wusste nicht, dass du das Lied von Balu, dem Bären, auch so gern magst.»

«I love it!», rief Claire.

«She learned the text when she was still quite small», sagte ihre Mutter.

«Ich war auch noch ziemlich klein, als ich das Lied gelernt habe.»

«And I used to sing the song nearly every night», sagte Claire.

«Vielleicht kannst du mir den englischen Text beibringen.»

«Okay. And you can teach me the German text.»

«Mach ich.»

Sie fingen gleich damit an, und als sie bei Marie zu Hause angekommen waren, konnte sie schon die ersten beiden Zeilen:

Look for the bare necessities
The simple bare necessities

Und Claire sang:

Probier's mal mit Gemütlichkeit,
Mit Ruhe und Gemütlichkeit,

«Tschüs!», rief Marie. «Und vielen Dank fürs Kino.»

Claire und ihre Mutter winkten zum Abschied, und dann fing Claire wieder an zu singen. Das Wort Gemütlichkeit fiel ihr schwer, sie sang immer «Gemutligkeit». Aber der englische Text war auch nicht so einfach.

«Na, war's schön?», fragte Mam.

Marie nickte und sang ihr gleich das Lied von Balu, dem Bären, vor, sicherheitshalber auf Deutsch. Die Zwillinge versuchten natürlich mitzusingen, aber sie kannten den Text nicht. Also musste Marie ihnen den erst mal beibringen.

«War's schwer für Claire, den Text zu verstehen?», fragte Mam später beim Abendbrot.

«Nein, der war doch auf Englisch.»

Mam und Pa sahen sie verblüfft an. «Du hast *Das Dschungelbuch* auf Englisch gesehen?», fragte Pa.

«Ja, mit Untertiteln.»

«Was sind Untertitel?», fragte Isabelle.

«Da siehst du unten auf der Leinwand den deutschen Text», erklärte Marie.

«Ist das nicht komisch?», fragte Nele.

«Man gewöhnt sich dran.»

«Daran solltest du dich auch mal gewöhnen», sagte Mam zu Pa. «Seit Jahren versuche ich, dich zu überreden, in einen englischen Film zu gehen.»

«Ich werde es versuchen», murmelte Pa.

Marie blickte von Mam zu Pa und verstand plötzlich, dass sie heute Nachmittag etwas geschafft hatte, was noch nicht mal Pa schaffte. Und da war sie richtig stolz auf sich!

Schon wieder!

Herr Kruse war auch beeindruckt, als Marie ihm erzählte, dass Claire und sie *Das Dschungelbuch* auf Englisch gesehen hätten.

«Das ist natürlich eine tolle Übung», sagte er. «Vielleicht haben die anderen auch Lust, sich den Film anzusehen.»

«Mein Vater geht oft in englische Filme», rief Max. «Der kann fließend Englisch.»

Herr Kruse holte tief Luft. «Hier geht es aber nicht um deinen Vater, sondern um euch.»

«Ich versuch's vielleicht mal», sagte Sarah.

«Ich auch», rief Nina.

«Mir ist das zu stressig, immer solche Untertitel zu lesen», meinte Erkan. «Wenn ich ins Kino gehe, will ich Bilder sehen.»

«Und wie ist es mit dir, Ragip?»

«Kino ist teuer.»

Marie sah, wie Herr Kruse sich auf die Lippen biss.

Wahrscheinlich bereute er es, dass er Ragip gefragt hatte. In Ragips Familie war das Geld sehr knapp, das wussten alle.

«*Das Dschungelbuch* ist doch 'n Babyfilm!», rief Alex. «In so was gehe ich schon lange nicht mehr.»

«Das ist kein Babyfilm», protestierte Marie. «Der ist ganz spannend, und da gehen sogar Erwachsene rein.»

«So 'n paar alberne Tiere im Dschungel ... Was soll denn daran spannend sein?»

«Mogli wird bedroht ... von dem Tiger Shir Khan», sagte Claire leise.

Marie blickte sie erstaunt von der Seite an. Es war das erste Mal, dass sie Claire einen ganzen Satz auf Deutsch sagen hörte. Die anderen mussten es auch bemerkt haben, denn es war plötzlich still geworden.

«Sehr gut, Claire», lobte Herr Kruse. «Du hast große Fortschritte im Deutschen gemacht.»

«Danke.»

«Übst du immer mit Marie?»

«Wir ... üben beide», antwortete Claire.

«Claire spricht Englisch und ich Deutsch», rief Marie.

«Wunderbar!», sagte Herr Kruse und strahlte.

Als Nächstes mussten sie ihre Hausaufgaben herausholen. Marie war das nur recht. Sie wollte sich nicht mit Alex über *Das Dschungelbuch* oder über sonst irgendwas streiten. Das hatte sowieso keinen Zweck.

In der Pause liefen sie alle schnell nach draußen. Endlich war es wärmer geworden, und sie brauchten keine Jacken mehr. Sarah und Nina schlugen vor, Gummitwist zu spielen, und zwischendurch aßen sie ihre Brote. Marie tauschte wieder mit Claire, die orangefarbenen Cheddarkäse drauf hatte. Den aß sie für ihr Leben gern. Dafür bekam Claire ihr Salamibrot.

Als sie nach dem Klingeln in die Klasse zurückkamen und sich auf ihre Plätze setzten, fasste Sarah in ihre Jacke, die über dem Stuhl hing, und wurde blass. «Mist!»

«Was ist denn los?», fragte Nina.

«Mein Geld ist weg!»

«Aber du bringst doch gar kein Geld mehr mit in die Schule.»

«Heute hatte ich was dabei, weil ich auf dem Nachhauseweg einkaufen sollte. Meine Mutter ist krank.»

«Wie viel war in deinem Portemonnaie?»

Sarah begann zu weinen. «Zwanzig Euro.»

«O nee!!!», rief Marie. «Das kann doch so nicht weitergehen.»

«Was?», fragte Herr Kruse. Er stand in der Tür und schaute sie ernst an. «Ist bei uns in der Klasse etwa schon wieder Geld gestohlen worden?»

Sie nickten alle.

«Sarah hatte zwanzig Euro in ihrem Portemonnaie!», rief Nina.

«Aber wie ist das bloß möglich?» Herr Kruse fuhr sich mit beiden Händen durch die Haare. «Ich habe den Klassenraum in der Pause abgeschlossen und erst nach dem Klingeln wieder aufgeschlossen. Und dann bin ich höchstens für zwei Minuten ins Treppenhaus zurückgegangen, weil dort jemand weinte.»

«In den zwei Minuten muss es passiert sein», meinte Marie.

«Wieso bist du auch so blöd und lässt dein Geld in der Klasse?», fragte Max.

«Ich hab's vergessen!», schrie Sarah verzweifelt.

«Zwanzig Euro sind ganz schön viel», sagte Erkan. «Dafür kann ich zwei Monate bei mir im Verein Fußball spielen.»

«Es muss ... jemand ... aus der Schule sein», sagte Claire.

«Ja, jemand, der sich hier auskennt», murmelte Ragip.

Marie sah, dass Alex mal wieder Faxen machte. Als er merkte, dass sie ihn beobachtete, grinste er und zeigte auf Claire. Wollte er ihr etwa unterstellen, dass sie das Geld gestohlen hatte? Und jetzt guckten plötzlich auch Sarah und Nina zu Claire hinüber. Maries Herz schlug bis zum Hals. Es konnte doch nicht wahr sein, dass sie ihre Freundin verdächtigten! Claire schaute die beiden erschrocken an. Sie hatte genau begriffen, worum es ging. Herr Kruse dagegen hatte nichts davon mitbekommen.

Was sollte Marie jetzt machen? Sich melden und Herrn Kruse erzählen, was sie gesehen hatte? Nein, Alex würde alles abstreiten. Und für Claire wäre es schrecklich. Sie würde rot werden und sich vielleicht sogar noch vor der Klasse verteidigen.

Dies war die letzte Schulstunde. Kaum hatte es geklingelt, da rannte Claire mit ihrem Ranzen aus dem Klassenzimmer. Marie versuchte, ihr zu folgen, doch als sie auf den Schulhof kam, war Claire schon verschwunden. Das hatte es noch nie gegeben. Sonst gingen sie immer zusammen nach Hause.

«Was ist los mit dir?», fragte Mam beim Mittagessen.

Marie wollte die Geschichte eigentlich nicht vor den Zwillingen erzählen, aber dann platzte sie doch aus ihr heraus. Dass Sarahs Portemonnaie geklaut worden sei und Alex auf Claire gezeigt hätte und dann auch Sarah und Nina Claire so merkwürdig angeguckt hätten.

«Claire klaut doch nicht!», rief Marie und war plötzlich den Tränen nahe.

«Natürlich nicht», versuchte Mam sie zu beruhigen.

«An Claires erstem Schultag, als mein Portemonnaie gestohlen worden ist, hat Alex Claire auch schon mal beschuldigt ... Damals hat sie zum Glück nicht verstanden, worum es ging. Aber heute ... heute hat sie es sofort kapiert.»

«Dieser Alex ist doof!», sagte Isabelle.

Nele nickte. «Find ich auch.»

«Er scheint wirklich ein schwieriger Junge zu sein», meinte Mam. «Das ist euch ja schon öfter aufgefallen.»

«Es wird immer schlimmer mit ihm», meinte Marie.

«Am besten rufst du Claire mal an. Ihr müsst irgendwas unternehmen. Offenbar hat er es auf sie abgesehen.»

«Aber warum?»

«Wahrscheinlich ist er neidisch auf sie. Claire ist neu in eure Klasse gekommen und hat gleich am ersten Tag eine Freundin gefunden», versuchte Mam zu erklären.

«Marie!», rief Isabelle.

«Genau.»

«Er verschenkt auf dem Schulhof manchmal Süßigkeiten», sagte Marie. «Mir hat er auch schon was geschenkt. Und dann fragt er einen, ob man mit ihm spielen will.»

Mam runzelte die Stirn. «Irgendwie tut er mir leid.»

«Mir nicht.»

«Er ist sicher viel allein.»

«Wenn er nicht so blöd wäre, hätte er bestimmt Freunde», sagte Marie und stand auf. «Ich rufe jetzt bei Claire an.»

Sie wählte und wartete. Schließlich nahm Claires Mutter den Hörer ab, und dann dauerte es noch eine Weile, bis Claire kam.

«Hello, Marie ...»

«Alles okay?»

Sie hörte ein Schniefen am anderen Ende. «No ... It's so unfair what Alex did to me!»

«Ich weiß.»

«On the way home I was thinking of my first day at school ... when your purse was stolen ...»

Marie ahnte schon, was jetzt kommen würde.

«Did Alex say back then that I took the purse? There was a moment when Herr Kruse said something very stern to Alex and he gave me a quick look.»

Marie hatte längst nicht alles verstanden. Aber es ging darum, dass Claire wissen wollte, ob Alex sie damals, an ihrem ersten Tag in der Schule, auch schon beschuldigt hatte.

«Ja», gab sie zu.

«What did he say?»

«‹Vielleicht war's ja die Neue.› Aber Herr Kruse hat ihm gleich gesagt, dass er das nicht gehört haben will.»

«Why didn't you tell me?», wollte Claire wissen.

«Weil ich nicht wollte, dass du traurig bist. Es war so gemein von Alex.»

«I don't want to see him again.»

«Aber er geht nun mal in unsere Klasse. Den werden wir nicht so einfach los», meinte Marie.

«Then I'll say something to him ... in front of everybody!»

«Was denn?»

«I don't know yet.»

«Soll ich vorbeikommen, und wir überlegen uns zusammen, was du sagen könntest?», schlug Marie vor.

«Yes, that would be great!»

Marie fragte Mam, ob sie zu Claire gehen dürfe, und Mam war sofort einverstanden.

Es duftete nach Kuchen, als Marie bei Claire ankam.

«My mum thought we needed something special to eat», murmelte Claire. Ihre Augen waren noch immer verweint.

Kurz darauf brachte ihre Mutter ihnen ein Tablett mit Apfelschorle und frischen Blaubeermuffins.

Toll, es gibt wieder Muffins, dachte Marie.

«My mother always says that blueberry muffins are good for you», verkündete Claires Mutter und lächelte ihnen aufmunternd zu.

«Danke», sagte Marie.

Sie aßen ihre Blaubeermuffins, und dann spielten sie eine Zeitlang mit Billy, der nicht mehr ganz so schüchtern war wie am Anfang. Er ließ sich jetzt sogar von Marie streicheln.

Claire war sehr still; wahrscheinlich dachte sie darüber nach, was sie Alex morgen sagen würde.

«How do you say: ‹You've been very unfair to me›? Du warst sehr ... ?», wollte Claire wissen.

«Unfair. Es ist dasselbe Wort.»

«Du warst sehr unfair ... zu mir», probierte Claire.

«Genau.»

«‹I didn't do anything to you.› Ich habe dir nichts ... ?»

«Getan», erklärte Marie.

«Ah, okay: Ich habe dir nichts getan.»

«Meine Mutter meinte, dass Alex vielleicht neidisch auf dich ist, weil du gleich am ersten Tag eine Freundin gefunden hast.»

«‹Neidisch› ... What's that?»

Marie zuckte mit den Achseln. Das war zu schwer zu erklären.

Da sprang Claire auf und holte das Wörterbuch. «‹Nei-disch› ... envious ... Yes, it could be true that he's envious of me.»

«Das ist natürlich kein Grund, einfach zu behaupten, dass du klaust.»

«Exactly.»

«Am besten schreibst du dir ein paar Sätze auf. Dann weißt du morgen genau, was du sagen willst», schlug Marie vor

«That's a great idea.»

«Und ich würde Herrn Kruse vor der ersten Stunde Bescheid sagen.»

«What's ‹Bescheid sagen›?», fragte Claire.

«Ich würde ihm erzählen, was du vorhast.»

«Yes, of course, I'll tell him.»

Am nächsten Morgen trafen Marie und Claire sich zehn Minuten früher als sonst und warteten vor dem Lehrerzimmer auf Herrn Kruse.

Er hörte Claire sehr aufmerksam zu, und Marie konnte sehen, wie erschrocken er darüber war, dass Alex Claire nun schon zum zweiten Mal beschuldigt hatte.

«Ich werde mit seiner Mutter sprechen. So geht es nicht weiter.»

«Kann Alex vielleicht die Klasse wechseln?», fragte Marie.

«Nein, das ist keine Lösung. Wir müssen gemeinsam versuchen, einen Ausweg zu finden. Auch wenn es noch so schwierig ist.»

Claire holte einen Zettel aus ihrem Ranzen und gab ihn Herrn Kruse. «Hier habe ich mir aufgeschrieben, was ich Alex sagen will.»

Er las Claires Sätze und nickte dann. «Ja, ich finde es richtig, dass du ihn vor der ganzen Klasse zur Rede stellen willst. Mal sehen, was dann passiert.»

Es waren schon alle da, als Marie und Claire zusammen mit Herrn Kruse hereinkamen.

«Guten Morgen», sagte Herr Kruse.

«Guten Morgen», antworteten sie im Chor.

Herr Kruse kündigte an, dass Claire Alex etwas zu sagen habe. Alex blickte kurz hoch. Er war wieder mal damit beschäftigt, die Klettverschlüsse seiner Turnschuhe auf- und zuzuziehen.

«Hör bitte auf damit», sagte Herr Kruse. «Du weißt, wie sehr das stört.»

«Deshalb macht er's ja», warf Nina ein.

«Also, jetzt ist Claire an der Reihe.»

Marie spürte, wie aufgeregt sie war, als Claire aufstand und langsam ihre Sätze vorlas. Anfangs feixte Alex noch, aber als sie fertig war, wirkte er doch etwas beschämt.

Es war ganz still in der Klasse. Alle blickten auf Alex.

«Warum hast du das getan?», fragte Herr Kruse.

«Weiß ich nicht.»

«Bitte entschuldige dich bei Claire.»

Alex starrte auf seine Hände und schwieg.

«Wir warten», sagte Herr Kruse.

«'tschuldigung», murmelte er schließlich.

«Und versprich uns, dass du das nie wieder tun wirst.»

«... Okay.»

Marie glaubte nicht, dass Alex es ernst meinte, und Claire schien es auch nicht zu glauben. Aber sie hatte ihm wenigstens gezeigt, dass sie so was nicht mit sich machen ließ.

That's a Surprise!

Marie und Claire waren schon ein paarmal zusammen im Hallenbad gewesen, aber noch nie im Freibad. Anfang Juni war es dafür endlich warm genug.

Ja, es war sogar richtig heiß, als sie nachmittags dort ankamen und über die Liegewiese liefen. Selten hatte Marie hier so viele Menschen gesehen. Dicht an dicht lagen sie auf ihren Decken. Aber nach einer Weile entdeckten sie doch einen schönen, schattigen Platz unter einem Baum.

Sie hatten beide zu Hause ihre Badeanzüge schon untergezogen, und so waren sie ruck, zuck fertig, um unter die Dusche zu gehen.

Im Becken war es zu voll, um richtig schwimmen zu können, aber das Baden und Tauchen machte trotzdem viel Spaß. Irgendwann waren sie völlig erschöpft und ließen sich auf ihre Handtücher fallen.

Claire hatte zwei Muffins mitgebracht; diesmal waren sie mit Kirschen gefüllt. Marie lief das Wasser im Mund zusammen. Irgendwann würde sie lernen, selbst Muffins zu backen.

«Look who's there!», sagte Claire leise und deutete mit dem Kopf in Richtung Sprungturm.

Dort stand Alex auf dem Dreimeterbrett.

«O nein!», stöhnte Marie. «Der hat uns hier gerade noch gefehlt.»

«He hasn't been that bad in the last while.»

«Ja, das stimmt ... Er nervt nicht mehr so wie früher. Vielleicht hat es doch geholfen, dass du ihm gesagt hast, wie gemein er zu dir war.»

«Or the talk Herr Kruse had with Alex's mother has helped. Perhaps she didn't have a clue what her son was up to», meinte Claire.

«‹A clue› ... was ist das?»

«‹She didn't have a clue› heißt: Sie hatte keine Ahnung.»

Später, als sie sich ein Eis holen wollten, liefen sie direkt an Alex vorbei. Er saß auf einer Bank und aß ein Milky Way.

«Hi, Alex», sagte Claire.

Marie gab sich einen Ruck und sagte auch hallo.

«Hallo», murmelte er und schaute sofort wieder auf seine Füße.

Das ist immerhin ein Anfang, dachte Marie.

Aber was dann folgte, hätte sie trotzdem niemals für möglich gehalten. Am Donnerstag, in der großen Pause, lag ein kleiner grüner Brief auf ihrem Pult. Claire hatte genauso einen Brief bekommen, und alle anderen auch.

Marie öffnete den Umschlag und zog die Karte heraus. Es war eine Einladung zu Alex' Geburtstag am 18. Juni, um drei Uhr nachmittags. Sie war so verblüfft, dass sie einen Moment lang nicht wusste, was sie sagen sollte.

«That's a surprise!», sagte Claire leise. «It seems that we've all been invited to his birthday party.»

«Cool», rief Erkan. «Ich komme.»

«Wir auch», riefen Sarah und Nina.

«Was ist das für ein Tag?», fragte Max. «Am Wochenende sind wir nämlich oft auf Sylt.»

«Ein Dienstag», antwortete Alex.

«Okay, da kann ich.»

«Was meinst du, gehen wir hin?», flüsterte Marie Claire zu.

«Yes, let's do that.»

«Wir beide können auch», verkündete Marie.

«Super!», rief Alex. «Und du, Ragip, kommst du?»

Ragip zögerte noch, dann nickte er.

Niemand hatte Herrn Kruse bemerkt, der schmunzelnd in der Tür stand. Er wusste bestimmt schon von dem Fest.

Als Marie Mam mittags von der Einladung erzählte, war sie sich aber schon nicht mehr so sicher, ob sie wirklich hingehen wollte. Wahrscheinlich würde es ein ziemlich nerviger Nachmittag werden.

«Das glaube ich nicht», sagte Mam. «Ihr werdet sicher viel Spaß haben. Ich kann mir vorstellen, dass Alex auf diesem Weg versuchen will, etwas wiedergutzumachen.»

«Hm ...»

«Außerdem wird es doch interessant sein herauszufinden, wie er lebt, ob er Geschwister hat.»

«Wer hat Geschwister?», fragte Isabelle und stürmte in die Küche.

«Es geht um Alex», erklärte Mam. «Die Kinder in Maries Klasse wissen eigentlich nichts über ihn.»

«Der blöde Alex?», rief Nele.

«Er war in letzter Zeit nicht mehr so blöd», murmelte Marie.

Später, als sie in ihrem Zimmer saß und eigentlich ihre Hausaufgaben machen sollte, griff sie nach dem Streifenkiesel, der neben ihrem Bett lag, und ließ ihn von einer Hand in die andere rollen. Was

war, wenn Alex sich doch wieder so unmöglich be-
nahm? Wenn er so schrecklich lachte oder wieder so
gemein zu Claire war? Dann würde sie sofort nach
Hause gehen.

Aber vielleicht hatte Mam recht. Und er wollte etwas wiedergutmachen.

Das Fest

Marie und Claire hatten beschlossen, Alex gemeinsam etwas zum Geburtstag zu schenken. Es war gar nicht so einfach, etwas für ihn zu finden, weil sie nicht wussten, was ihm gefallen würde.

«Do you think he likes to read?», fragte Claire.

«Glaub ich nicht.»

«Why not?»

Marie überlegte. Vielleicht stimmte das gar nicht, und Alex las sogar sehr gern. Sie kannten ihn nicht, das war das Problem.

«Milky Ways mag er», fiel ihr plötzlich ein. «Neulich im Schwimmbad hat er eins gegessen, und im Winter hat er Ragip eins geschenkt, damit er mit ihm spielt.»

«Okay, we'll get him some Milky Ways and what else?»

«Ein Autoquartett?»

«What's that?»

«Ein Kartenspiel.»

«Oh, a card game. Yes, I'm sure he'll like that.»

Als sie am Dienstagnachmittag bei Alex ankamen, machte ihnen seine Mutter die Tür auf.

«Schön, dass ihr gekommen seid», sagte sie und lächelte. «Die anderen sind schon draußen im Garten.»

Sie kamen an einem Zimmer voller Spielsachen vorbei. An einer Wand stand ein Regal mit Büchern. Alex las also doch gern, dachte Marie.

«He's lucky that they have a flat with a garden», flüsterte Claire.

Marie nickte. Und nicht nur das. In einer Ecke des Flurs stand ein Futternapf. Und im nächsten Moment stürmte auch schon ein kleiner Terrier auf sie zu und sprang an ihnen hoch.

«Oh, der ist ja witzig!», rief Marie und hockte sich hin, um ihn zu streicheln.

«I would love to have a dog», sagte Claire und hockte sich neben sie.

«Das ist Juri. Er ist sechs Monate alt.»

Sie drehten sich um. Da stand Alex und grinste.

«What a nice dog you have!»

«Find ich auch», sagte Marie.

«Happy birthday.» Claire reichte Alex die zwei Päckchen, die sie vorhin schnell noch eingewickelt hatten.

«Die sind von uns beiden», erklärte Marie. «Herzlichen Glückwunsch.»

«Danke», rief er und packte die Päckchen in Windeseile aus. «Oh, super! Das Quartett hab ich noch nicht. Und Milky Ways könnte ich dauernd essen.»

Sie liefen hinter ihm her nach draußen, wo die anderen schon auf der Wiese herumtobten.

«Toller Garten», sagte Max. «Fast so groß wie unserer.»

«Wir haben noch nicht mal 'n Balkon», rief Erkan.

«Was ist das für ein Hund?», fragte Sarah.

«Ein Schottischer Terrier.»

«Ich hab Angst vor Hunden», murmelte Nina.

«Der ist ganz lieb», versicherte Alex ihr. «Er will nur spielen.»

«Darf ich ihn mal streicheln?», fragte Ragip leise.

«Na klar.»

«Bist du eigentlich neun oder zehn geworden?», wollte Max wissen.

«Zehn.»

«Wer ist sonst schon zehn?», fragte Max.

Niemand meldete sich.

«Dann bist du der Älteste von uns», verkündete Max.

Merkwürdig, dachte Marie. Sie hatte immer geglaubt, Alex sei einer der Jüngsten in der Klasse, weil er ihnen so auf die Nerven gegangen war.

In dem Augenblick rief Alex' Mutter, dass es Kuchen und Saft gebe, und alle liefen los, um an dem langen Tisch, der am Ende des Gartens stand, einen Platz zu bekommen.

«Hast du Geschwister?», fragte Sarah, während die Mutter Apfel- und Schokoladenkuchen verteilte.

Alex schüttelte den Kopf. Seine Mutter lächelte ihm kurz zu. ‹Vielleicht hätte er gern welche›, überlegte Marie.

«I don't have any either», sagte Claire.

«Und wer hat die meisten?», fragte Max.

«Ich habe drei Schwestern», antwortete Marie.

«Und ich habe eine Schwester und drei Brüder», rief Erkan. «Ziemlich stressig, sag ich euch. Aber Ragip hat noch mehr.»

«Wie viele?», fragte Max.

Ragip schoss das Blut in den Kopf. «Zwei Schwestern und vier Brüder.»

«Wer möchte Apfelschorle?», fragte Alex' Mutter.

«Ich!», riefen alle.

Und danach sprachen sie nicht mehr über Geschwister.

Als sie mit Kuchenessen fertig waren, machten sie eine Schnitzeljagd im Park. Marie liebte Schnitzeljagden, aber sie hatte noch nie eine erlebt, die so viel Spaß machte. Die Mädchengruppe gewann knapp vor der Jungengruppe, und das auch nur, weil sie den Text des Liedes von Balu, dem Bären, kannten.

«Glück gehabt», sagte Max.

«Nein», rief Marie. «Wir waren einfach besser.»

Und dann fing sie an zu singen, und die anderen fielen sofort mit ein.

Marie fiel auf, dass Alex auch mitsang. Vielleicht fand er *Das Dschungelbuch* jetzt nicht mehr so blöd.

«And now in English!», rief Claire und begann, den anderen den englischen Text beizubringen.

In dem Moment klingelte es. Alex' Mutter wurde blass.

«Wer ist das denn?», fragte Alex und blickte unsicher zu ihr hinüber.

«Ich gehe», antwortete sie und verschwand im Haus.

Marie war plötzlich nicht mehr danach, weiterzusingen, und den anderen schien es genauso zu gehen.

Kurz darauf kam die Mutter mit einem Mann in Anzug und Krawatte zurück, der ein großes Paket trug.

«Hallo, Papa», murmelte Alex.

«Herzlichen Glückwunsch, mein Junge», sagte der Mann und stellte das Paket auf den Tisch. «Das sind also deine Freunde – wie schön! Ich hatte ja keine Ahnung, dass du heute ein richtiges Fest feiern würdest.»

«Stefan, bitte», sagte Alex' Mutter mit gepresster Stimme.

«Willst du dein Paket nicht auspacken?», fragte sein Vater, ohne die Mutter zu beachten.

Alex nickte und fing an, das Paket auszuwickeln. Alle sahen ihm schweigend zu.

«Ein Skateboard!»

Sein Freudenschrei war so laut, dass Marie zusammenzuckte. Alex fiel seinem Vater um den Hals und strahlte. Doch die Mutter strahlte nicht.

Als Marie und Claire ein paar Minuten später auf der Suche nach einer Toilette durch den Flur liefen, hörten sie, wie sich Alex' Eltern miteinander stritten.

«Let's hide in here», flüsterte Claire und zog Marie hinter sich her in Alex' Zimmer.

«Monatelang lässt du dich nicht blicken», zischte die Mutter. «Und dann kreuzt du einfach hier auf!»

«Ich werde meinem Sohn ja wohl noch was zu seinem zehnten Geburtstag schenken dürfen, oder?», zischte der Vater zurück.

«Geschenke ... das ist das Einzige, was er von dir bekommt.»

«Musst du uns unbedingt wieder die Stimmung verderben? Soweit ich das beurteilen kann, hat er sich über mein Geschenk sehr gefreut.»

«I can only understand half of what they're saying», flüsterte Claire. «But it sounds awful.»

«Ja», murmelte Marie und wünschte, sie würden nicht hier hinter der Tür stehen und diesen Streit mitbekommen, der immer lauter wurde.

«Du hast ja keine Ahnung, was mit deinem Sohn los ist!», schrie Alex' Mutter. «Er hat keine Freunde in der Schule, weil er sich unmöglich benimmt und sich selbst immer alles kaputt macht.»

«Und was habe ich damit zu tun?»

«Das fragst du noch? Zum Geburtstag und zu Weihnachten bringst du ihm ein dickes Paket, und sonst kümmerst du dich nicht um ihn. Du rufst ihn nicht mal an. Kannst du dir nicht vorstellen, wie traurig ihn das macht?»

«Ich tue, was ich kann. Du weißt, dass ich beruflich sehr eingespannt bin. Und am Wochenende erwarten Eva und meine beiden Mädchen –»

«Aber was kann Alex dafür, dass du eine neue Familie hast?»

«That's why his mother looked at him when we were talking about brothers and sisters», flüsterte Claire. «His father has a new wife and Alex has two half-sisters.»

Marie nickte. Sie hätte niemals gedacht, dass Claire schon so viel Deutsch verstehen konnte.

In dem Augenblick fiel ihr Blick auf einen kleinen Korb mit Krimskrams, der bei Alex im Regal stand. Was war denn das? Ihr Herz klopfte. Unter einer Packung mit Papiertaschentüchern lag ein rot-grün gestreiftes Portemonnaie, das genauso aussah wie das, das ihr im Februar in der Schule geklaut worden war.

«Guck mal», flüsterte sie und zog vorsichtig das Portemonnaie aus dem Korb.

«What's that?»

«Sieht aus wie meins», antwortete sie und öffnete es. Es war leer.

«Do you mean …?», fragte Claire erschrocken.

«Vielleicht hat Alex das gleiche Portemonnaie wie ich.»

«That's possible, but not very likely. It looks quite unusual.»

«Ja. Soll ich es als Beweisstück mitnehmen?»

«No ... Alex might say you stole his wallet.»

«Du meinst, er könnte sagen, ich hätte sein Portemonnaie gestohlen?»

Claire nickte.

«Dann lass ich's besser hier.»

Sie lauschten beide. Im Flur war es jetzt still.

«Let's go back to the others.»

Als sie in den Garten zurückkamen, verteilte Alex' Mutter gerade Schokoladeneis an alle. Sein Vater war verschwunden.

Kurz darauf wurden die Ersten abgeholt.

«War 'n super Fest», sagte Max zum Abschied.

«Finden wir auch», riefen Sarah und Nina.

«Kannst du ruhig nochmal machen», meinte Erkan. «Stimmt's, Ragip?»

Der nickte.

Alex strahlte. «Danke für die Geschenke.»

Marie und Claire waren die Letzten, die sich verabschiedeten. Marie konnte Alex dabei nicht ansehen.

«If Alex took your money, he might have taken Nina's and Sarah's as well», sagte Claire nach einer Weile.

«Ja, das glaube ich auch.»

«What will you do now?»

«Ich werde mit meinen Eltern reden. Vielleicht können sie Herrn Kruse anrufen ...», überlegte Marie.

«I've often thought that Alex might be the thief.»

«‹Thief› ... Was ist das?»

«Ein Dieb», erklärte Claire.

«Das hab ich auch gedacht. Aber ich fand's gemein, ihm so was zu unterstellen.»

«Me, too.»

«Glaubst du, dass er's zugeben würde?», fragte Marie.

Claire überlegte. «I think he would.»

Aber nicht vor der ganzen Klasse, dachte Marie. Sie müssten auf jeden Fall mit Herrn Kruse sprechen. Der hatte bestimmt eine Idee.

And Now?

Mam telefonierte noch am selben Abend mit Herrn Kruse.

Das Gespräch dauerte ewig, und Marie wurde immer ungeduldiger.

«Was hat er gesagt?», rief sie, als Mam endlich in ihr Zimmer kam.

«Er war genauso erschrocken wie wir.»

«Wird er ihn fragen, woher er das Portemonnaie hat?»

«Ja, gleich morgen früh. Aber wer weiß, ob Alex ihm eine ehrliche Antwort gibt. Wenn er alles abstreitet, wird ihm niemand beweisen können, dass es dein Portemonnaie ist. Es sei denn, du erinnerst dich an irgendwas Besonderes, eine Einkerbung oder einen Farbunterschied.»

Marie schüttelte den Kopf.

«Das ist wirklich eine schwierige Geschichte», seufzte Mam. «Wenn Alex das Geld nicht gestohlen hat, wird er sagen: Das ist mal wieder typisch. Ihr verdächtigt mich, weil ihr mich nicht mögt.»

«Aber in letzter Zeit war er gar nicht mehr so schlimm. Und sein Fest heute war richtig schön.»

Mam nickte. «Herr Kruse hat mir gesagt, dass Alex' Mutter ihn schon angerufen hat. Alex war überglücklich, dass ihr alle gekommen seid.»

«Hat sie Herrn Kruse auch erzählt, dass Alex' Vater ihm nur zum Geburtstag und zu Weihnachten ein Paket bringt und er ihn sonst nie sieht?»

«Das weiß ich nicht.»

«Ich finde das schlimm», sagte Marie leise.

«Ist es auch.»

In dieser Nacht träumte Marie, dass sie in einem großen Saal mit vielen Menschen saß. In der Mitte stand Alex und schrie immer wieder: «Ich war's nicht! Ich war's nicht!» Vorn, an einem hohen Tisch, thronten fünf Männer mit schwarzen Umhängen und weißen Perücken. Der Mann in der Mitte kam ihr irgendwie bekannt vor. Und plötzlich wusste sie, wer es war: der Vater von Alex. In dem Moment schlug er mit der Hand auf den Tisch und rief: «Ich werde jetzt das Urteil verkünden.» «Nein!», schrie Marie. «Nein! Nein!» – «Ist ja gut», hörte sie da eine Stimme sagen und schlug die Augen auf.

Mam saß an ihrem Bett und strich ihr über den Kopf.

«Ich hab schlecht geträumt», murmelte Marie. Sie war so nass geschwitzt, dass die Haare an ihrer Stirn festklebten.

«Hast du Angst vor morgen?», fragte Mam.

Marie nickte.

«Herr Kruse wird schon einen Weg finden. Er hat euch alle gern.»

«Ja ...»

«Und er ist sehr gerecht. Wenn Alex euch wirklich bestohlen hat, wird Herr Kruse ihn nicht einfach nur bestrafen, sondern er wird versuchen herauszufinden, warum Alex das getan hat.»

«Ich hätte den Streit zwischen seinen Eltern lieber nicht gehört. Und das Portemonnaie hätte ich auch lieber nicht gefunden», sagte Marie.

«Ja, aber vielleicht wird dadurch jetzt etwas aufgeklärt, was euch seit Monaten bedrückt.» Mam beugte sich über sie und gab ihr einen Kuss. «Nun schlaf schön weiter.»

Doch Marie lag noch lange wach und grübelte darüber nach, wie die Geschichte mit Alex ausgehen würde.

Am nächsten Morgen auf dem Schulhof redeten alle über Alex' schönes Fest.

«Wo ist er überhaupt?», fragte Erkan und blickte sich suchend um.

«Keine Ahnung», antwortete Max.

«Komisch, sonst kommt er immer ziemlich früh», sagte Sarah.

«I think I know why Alex isn't here», flüsterte Claire, als sie in die Klasse gingen.

«Ich auch», flüsterte Marie zurück.

«Perhaps Herr Kruse rang him this morning and asked him to come early so that he can talk to him.»

«Ja, das kann gut sein.»

Nachdem es geklingelt hatte, dauerte es noch fast eine Viertelstunde, bis Herr Kruse kam. Alex war immer noch nicht da. «Ich muss euch etwas sehr Ernstes mitteilen», sagte Herr Kruse. «Alex hat mir gegenüber zugegeben, dass er derjenige war, der euer Geld gestohlen hat.»

«Was???», schrie Sarah. «So was Gemeines!»

Also doch, dachte Marie und spürte wieder, wie ihr Herz klopfte.

«So we were right», flüsterte Claire und drückte kurz Maries Hand.

«Und dem haben wir gestern noch was zum Geburtstag geschenkt!», rief Nina. «Das muss er uns zurückgeben.»

«Dieser Schuft!», schnaubte Max verächtlich.

«Der soll sich hier nicht mehr blicken lassen», sagte Erkan. «Sonst kriegt er's mit mir zu tun.»

«Ruhe!», rief Herr Kruse. «Hört mir erst mal zu!»

Aber es dauerte noch eine Weile, bis es in der Klasse wieder ruhiger geworden war.

«Alex tut es sehr leid, und er ist ganz zerknirscht.»

«Zerknirscht?», fragte Claire. «What's that?»

«He feels very bad about himself and is really sorry.»

«Hat er auch Grund zu», rief Max.

«Er war so glücklich gestern, weil ihr alle zu seinem Fest gekommen seid», redete Herr Kruse weiter.

«Wenn ich das gewusst hätte, wäre ich nicht hingegangen», sagte Ragip leise.

«Ich auch nicht!», riefen Sarah und Nina.

«Und wie ist die Sache rausgekommen?», wollte Erkan wissen.

Herr Kruse blickte Marie und Claire fragend an. «Wollt ihr es den anderen erzählen?»

Marie nickte, aber sie hatte plötzlich einen Kloß im Hals und bekam kein Wort heraus.

«Marie found a purse in Alex's room yesterday», hörte sie Claire da sagen. «It looked just like hers, the one that was stolen in winter.»

«Was hat sie gesagt?», rief Erkan.

Jetzt fand Marie ihre Sprache wieder und berichtete, was sie in Alex' Zimmer entdeckt hatte.

«Und wo war das Portemonnaie?», fragte Sarah.

«In seinem Zimmer ... in einem kleinen Korb mit lauter Krimskrams.»

«Also hat Alex es gar nicht von allein zugegeben», sagte Max.

«Nein», antwortete Herr Kruse. «Aber er war sehr erleichtert, als ich ihn gefragt habe und er's mir erzählen konnte.»

«Mit dem will ich nichts mehr zu tun haben!», rief Erkan.

«Ich verstehe euren Ärger», sagte Herr Kruse. «Es ist auch wirklich schlimm, was Alex getan hat. Aber es gibt eine Erklärung, und ich möchte euch bitten, mir jetzt wieder zuzuhören.»

«Klauen ist Klauen», rief Erkan. «Was gibt's da zu erklären?»

Herr Kruse setzte sich aufs Pult und wartete.

«I ... I would like to hear the explanation», sagte Claire.

«Ich auch», stimmte Marie ihr zu.

«Also», begann Herr Kruse. «Alex hat mir erzählt, dass er das Geld nicht für sich genommen hat, sondern er hat damit Süßigkeiten für andere aus der Klasse gekauft.»

Plötzlich war es ganz still. Marie musste an den Tag im Winter denken, als Ragip ein Milky Way von Alex bekommen hatte. Vielleicht war er der Erste gewesen.

«Und Alex hat auch Kindern aus anderen Klassen Süßigkeiten geschenkt. Er hat gehofft, dass dann endlich mal jemand mit ihm spielt.»

«Aber er war immer so blöd», rief Max. «Deshalb hatten wir keine Lust, mit ihm zu spielen.»

«Genau», rief Erkan.

«Wer hat denn Süßigkeiten von Alex bekommen?», fragte Herr Kruse.

Alle Finger gingen hoch.

«Und warum habt ihr mir das nicht gesagt?»

«Weil ... weil das wie Petzen gewesen wäre», antwortete Sarah.

«Kann es nicht auch sein, dass ihr die Süßigkeiten gern genommen habt, aber über Alex' Bitte nicht weiter nachdenken wolltet?»

«Hm», murmelte Marie. «Kann sein.»

«Alex benimmt sich manchmal so, wie er gar nicht sein will. Und damit vergrault er alle.»

«But he hasn't been that bad in the last while», sagte Claire.

Die anderen nickten.

«Das habe ich auch bemerkt», meinte Herr Kruse. «Und deshalb hoffe ich, dass ihr ihm noch eine Chance gebt, wenn er morgen wiederkommt.»

«Nur wenn er sich bei uns entschuldigt», rief Sarah.

«Das wird er schon tun. Und er wird euch natürlich auch euer Geld und die Portemonnaies zurückgeben.»

«Okay», sagte Nina.

«Wie ist es mit dir, Marie?», fragte Herr Kruse.

«Für mich ist es dann auch wieder gut.»

«Schön. Ich werde Alex also heute Nachmittag anrufen und ihm erzählen, was wir besprochen haben.»

«Wo ist er denn jetzt?», fragte Max.

«Ich habe ihn nach Hause geschickt, weil ich erst mit euch reden wollte.»

«I'm glad he sent him home», flüsterte Claire. «The others would have given him a very hard time.»

Marie nickte.

«Vielleicht überlegen wir mal gemeinsam, was wir tun können, damit Alex nicht mehr versuchen muss, sich mit Süßigkeiten Freundschaften zu erkaufen.»

Marie starrte auf ihre Füße. Ihr fiel nichts ein, und die anderen schienen auch keine Ideen zu haben.

Doch dann meldete sich Claire.

«We saw Alex in the swimming pool recently. Perhaps we can ask him if he wants to go swimming with us.»

«Ein sehr guter Vorschlag», antwortete Herr Kruse.

«Sarah und ich sind nachmittags immer mit dem Rad unterwegs», rief Nina. «Wenn er Lust hat, kann er ja mal mitkommen.»

«Hat er ein Fahrrad?», fragte Herr Kruse.

«Und was für eins!», antwortete Max.

«Das hat ihm bestimmt sein Vater geschenkt», sagte Ragip.

«Ich hätte nichts dagegen, Alex' neues Skateboard mal auszuprobieren», sagte Erkan.

«Und was könntest du ihm dafür geben?», fragte Herr Kruse.

Erkan überlegte. «Vielleicht kann er mal mit in meinen Verein kommen. Er spielt gut Fußball.»

Herr Kruse lächelte. «Ich bin sicher, dass ihm das viel Spaß machen würde.»

Jetzt war ihnen doch eine ganze Menge eingefallen, dachte Marie. Mal sehen, was Alex dazu sagen würde.

Bald beginnt
der Sommer

Als Marie nach Hause kam, erzählte sie Mam sofort, wie die Geschichte mit Alex weitergegangen war.

«Gut, dass er's zugeben konnte», meinte Mam. «Das ist schon mal ein erster Schritt. Er hat es nicht leicht, euer Alex.»

«Nein. Hoffentlich kommt er morgen wieder.»

«Vielleicht wird es ein paar Tage dauern. Er schämt sich sicher sehr», vermutete Mam.

«Das glaub ich auch.»

Später, beim Mittagessen, verkündete Mam, dass Pa und sie sich überlegt hätten, in diesem Sommer wieder für zwei Wochen ein Haus in Dänemark zu mieten.

«Juhu!!!», riefen die Zwillinge.

«Hu! Hu!», kreischte Julchen.

«Am Meer?», fragte Marie.

Mam nickte.

«Toll!»

«Wenn du magst, kannst du Claire fragen, ob sie mitkommen will.»

«Jaaa!!!», riefen die Zwillinge.

«Wirklich? Haben wir denn Platz genug?», fragte Marie ungläubig.

«Ja, wir haben diesmal ein etwas größeres Haus.»

«Ät! Ät!», kreischte Julchen. «Ät! Ät!»

«Sie versucht wieder, ‹cat› zu sagen», rief Isabelle.

«Ja, weil sie genau verstanden hat, dass wir über Claire reden», sagte Nele.

«Wahrscheinlich wird Claire den ganzen Sommer in Dublin sein», seufzte Marie.

«Frag sie nachher mal und sag ihr, dass sie herzlich eingeladen ist», sagte Mam. «Wir fahren in den letzten beiden Ferienwochen.»

Nachmittags, als sie bei Claire im Zimmer saßen und mit Billy spielten, erzählte Marie ihr von Mams Vorschlag.

«You mean your parents have invited me to come on holiday with you to Denmark?»

«Ja.»

«Oh, I'd love to do that! And you're going for the last two weeks of the summer holidays?»

«Genau.»

Claire sprang auf und lief zu ihrer Mutter ins Wohnzimmer. Marie hörte einen Schwall englischer Sätze, die sie nicht verstand. Es ging hin und her zwischen den beiden, und für Marie klang es so, als hätten Claires Eltern schon andere Pläne für den Sommer.

Aber als Claire zurückkam, strahlte sie.

«First my mum said that we would be in Ireland for six weeks», erklärte Claire.

«Und jetzt wirst du doch nicht die ganze Zeit in Irland sein?»

«No, she agreed that we would come back earlier so that I can go with you.»

«Oh, super!», jubelte Marie.

«But she wants to speak to your mother.»

«Sie kann sie gleich anrufen.»

«That's what I told her.»

«Die Zwillinge werden sich riesig freuen. Und Julchen auch», sagte Marie.

«Two weeks with all of you! That's really great!», rief Claire glücklich.

Am nächsten Tag hatte die Stunde schon begonnen, als die Tür aufging und Alex hereinkam.

«Guten Morgen, Alex», sagte Herr Kruse. «Schön, dass du wieder da bist.»

Alex schaute niemanden an, sondern lief schnell zu seinem Platz und setzte sich hin.

«Hast du an das gedacht, was wir gestern besprochen haben?», fragte Herr Kruse.

Alex nickte und zog eine Tüte aus seinem Ranzen. Er holte nacheinander Maries, Ninas und Sarahs Portemonnaies heraus und legte sie vor sich auf den Tisch.

Niemand sagte ein Wort.

«So, dann gib sie jetzt zurück.»

Alex stand auf und ging zuerst zu Marie. «Es tut mir leid», sagte er leise und reichte ihr das Portemonnaie. «Die fünf Euro habe ich wieder reingetan.»

«Danke», sagte Marie.

Während Alex die anderen Portemonnaies zurückgab, überlegte sie, ob es richtig war, danke zu sagen. Sie hatte ja nur etwas bekommen, was ihr sowieso gehörte.

Aber Nina und Sarah machten es genauso wie sie. Vielleicht, weil sie alle so erleichtert waren, dass Alex den Mut gefunden hatte, seinen Fehler zuzugeben und sich bei ihnen zu entschuldigen.

Marie wollte gerade ihr Portemonnaie einstecken,

als ihr einfiel, dass die fünf Euro ja Herrn Kruse gehörten. Sie meldete sich und sagte, dass sie ihm jetzt seine fünf Euro zurückgeben könne.

«Wieso?», fragte er verblüfft.

«Weil Sie im Februar das Kakaogeld für mich ausgelegt haben.»

«Stimmt ja! Das hatte ich völlig vergessen! Vielen Dank.» Er fuhr sich mit beiden Händen durch die Haare und holte tief Luft. «So, damit ist diese Angelegenheit erledigt. Jetzt möchte ich euch bitten, Alex eure Vorschläge zu nennen.»

Claire war wieder die Erste, die sich meldete. «Marie and I ... would like to go swimming with you.»

«Schwimmen?», rief Alex erstaunt. «Ihr wollt mit mir schwimmen gehen?»

«Ja», antwortete Marie. «Vielleicht bringst du uns bei, vom Dreier zu springen.»

«Okay, kann ich machen.»

«Und ich ... wollte dich fragen, ob wir mal zusammen mit deinem Hund spielen können», sagte Ragip leise.

«Ja, super. Komm mal vorbei.»

Nach und nach rückten auch die anderen mit ihren Ideen heraus, und Marie sah, wie sehr Alex sich freute.

«Alex' Mutter hat mir erzählt, dass ihr auf seinem Fest das Lied von Balu, dem Bären, gesungen habt», sagte Herr Kruse. «Nachdem wir solche Schwerstarbeit geleistet haben, können wir das hier vielleicht auch mal singen.»

«Jaaa!!!», riefen alle. Und los ging's.

«And now let's sing it in English!», rief Claire, als sie fertig waren.

«Schreib uns mal den Text an die Tafel», schlug Herr Kruse vor.

«Sure», antwortete Claire und lief nach vorn.

Als es zur Pause klingelte, sah Marie, dass Ragip an der Tür auf Alex wartete und sie dann gemeinsam auf den Hof gingen.

«Perhaps the two of them will become friends.»

«Ja, Alex hat Ragip immer schon gemocht.»

Und wieder tauschten sie ihre Brote. Salami gegen Cheddar.

Bald würde der Sommer anfangen, dachte Marie und schaute in den Himmel, an dem nur eine winzige Wolke zu sehen war. Und Claire würde mit ihnen nach Dänemark kommen!

«Do you think we can share a room in Denmark?», fragte Claire in dem Moment.

«Na klar. Da gibt's immer Zimmer mit Etagenbetten. Schläfst du lieber oben oder unten?»

«I think I'd like to be in the top one.»

«Ich auch.»

«You can have it in the first week and then we swap.»

«‹Swap› ... Heißt das tauschen?»

«Yes. Do you know what: We'll have a great summer holiday!»

Marie nickte. Der schönste Urlaub, den sie sich vorstellen konnte.

Die Autorin

© Pia Mortensen

Renate Ahrens, 1955 in Herford geboren, studierte Englisch und Französisch in Marburg, Lille und Hamburg. Zu ihren Veröffentlichungen gehören Kinderbücher, Drehbücher fürs Kinderfernsehen, Hörspiele, Theaterstücke und zwei Romane für Erwachsene.

Seit 1986 lebt sie abwechselnd in Dublin und Hamburg und weiß daher, wie es ist, Freunde zu haben, die eine andere Sprache sprechen …
www.renate-ahrens.de

Deutsch-englische Geschichten für Leser ab 8 und 10 von Renate Ahrens

Marie und Claire – a German-Irish friendship

Hello Marie – alles okay?

Marie lebt mit ihren Eltern und drei jüngeren Schwestern in Hamburg. Noch hat sie keine feste Freundin gefunden – bis an einem grauen Februartag Claire aus Irland neu in die Klasse kommt. Obwohl Claire kein Wort Deutsch und Marie kaum Englisch kann, verstehen sie sich sehr gut. Aber dann wird in der Klasse Geld gestohlen, und weil Claire neu ist, gerät sie bald ungerechtfertigt in Verdacht. Jetzt kann Marie zeigen, dass sie eine echte Freundin ist. Für Englischanfänger ab acht Jahren: Der erste Band der Freundschaftsgeschichte um Marie und Claire.
rotfuchs 21410 – *ab 8 Jahre*

Hallo Claire – I miss you

Seit Claire in Maries Klasse kam, sind die beiden dicke Freundinnen. Doch dann muss Claire zurück nach Dublin. Ein Schock!
rotfuchs 21330 – *ab 10 Jahre*

Hey you – lauf nicht weg!

Claire kommt zu Besuch nach Hamburg!
rotfuchs 21365 – *ab 10 Jahre*

Marie – help me!

Als Marie zu Claire nach Irland fährt, ist dort ganz schön was los: Claires Eltern haben den kleinen Liam adoptiert.

rotfuchs 21376 – *ab 10 Jahre*

Mehr Infos im rotfuchs-Magazin *fuxx!* und unter *www.fuxx-online.de*